U0382660

“十四五”时期国家重点出版物出版专项规划项目（重大出版工程）

中国工程院重大咨询项目

国际化绿色化背景下国家区域食物安全可持续发展战略研究丛书

第 三 卷

华中地区食物安全可持续发展战略研究

中国工程院“华中地区食物安全可持续发展战略研究”课题组

邓秀新 姚江林 青 平 主编

科 学 出 版 社

北 京

内 容 简 介

本书聚焦华中地区食物可持续发展问题，梳理了华中地区食物安全现状，利用田野调查数据分析了农户和新型经营主体食物生产意愿以及面临的困难，预测了未来华中地区食物供给和需求变化趋势以及食物生产国际竞争力，总结了华中地区在口粮种植、柑橘生产、淡水养殖、耕地重金属污染防治、良田建设、新型经营主体培育等方面存在的问题和挑战，最后明确提出“构建一个体系、推进两个适应、补齐三个短板、使用五个抓手、谋求生产机械化与绿色化”战略设想。

本书可为农业农村主管部门制定产业政策提供参考，也可为农业生产主体了解华中地区食物可持续发展趋势、制定华中地区食物可持续发展策略提供借鉴。

图书在版编目(CIP)数据

华中地区食物安全可持续发展战略研究/邓秀新，姚江林，青平主编. —北京：科学出版社，2022.11

(国际化绿色化背景下国家区域食物安全可持续发展战略研究丛书)

“十四五”时期国家重点出版物出版专项规划项目（重大出版工程） 中国工程院重大咨询项目

ISBN 978-7-03-073522-5

Ⅰ.①华… Ⅱ.①邓… ②姚… ③青… Ⅲ.①粮食安全–研究–中国 ②绿色农业–农业发展–研究–中国 Ⅳ.①F327

中国版本图书馆 CIP 数据核字(2022)第 195612 号

责任编辑：马 俊 付 聪 / 责任校对：张小霞
责任印制：吴兆东 / 封面设计：刘新新

科学出版社 出版
北京东黄城根北街 16 号
邮政编码：100717
http://www.sciencep.com
北京建宏印刷有限公司 印刷
科学出版社发行 各地新华书店经销
*
2022年11月第 一 版 开本：787×1092 1/16
2022年11月第一次印刷 印张：9
字数：216 000

定价：118.00 元

（如有印装质量问题，我社负责调换）

“国际化绿色化背景下国家区域食物安全可持续发展战略研究”项目组

顾　问

宋　健　徐匡迪　周　济　潘云鹤　沈国舫

组　长

刘　旭

副组长

邓秀新　尹伟伦　盖钧镒

成　员

陈温福　康绍忠　陈剑平　山　仑　荣廷昭　朱有勇

宋宝安　刘广林　李召虎　梅旭荣　姚江林　万　忠

曾玉荣　吴普特　郑有良　陈代文　上官周平　黄季焜

王济民　吴伯志　高中琪　左家和　王东阳　王秀东

项目办公室

高中琪　左家和　黄海涛　张文韬　鞠光伟　王　波

“华中地区食物安全可持续发展战略研究”
课题组成员名单

组　长：邓秀新　　中国工程院，院士；华中农业大学，教授
副组长：姚江林　　华中农业大学，副校长

顾　问：傅廷栋　　中国工程院，院士；华中农业大学，教授
　　　　盖钧镒　　中国工程院，院士；南京农业大学，教授
　　　　朱英国　　中国工程院，院士；武汉大学，教授
　　　　颜龙安　　中国工程院，院士；江西省农业科学院，研究员
　　　　官春云　　中国工程院，院士；湖南农业大学，教授
　　　　桂建芳　　中国科学院，院士；中国科学院水生生物研究所，研究员
　　　　陈焕春　　中国工程院，院士；华中农业大学，教授
成　员：青　平　　华中农业大学，副校长、教授
　　　　彭少兵　　华中农业大学植物科学技术学院，长江学者、教授
　　　　曹凑贵　　华中农业大学植物科学技术学院，教授
　　　　鲁剑巍　　华中农业大学资源与环境学院，教授
　　　　赵书红　　华中农业大学动物科学技术学院，教授
　　　　王卫民　　华中农业大学水产学院，教授
　　　　廖庆喜　　华中农业大学工学院，教授
　　　　祁春节　　华中农业大学经济管理学院，教授
　　　　周广生　　华中农业大学植物科学技术学院，教授
　　　　周应恒　　江西财经大学经济学院，教授
　　　　张士云　　安徽农业大学经济管理学院，教授

余传源　江西省农业科学院作物种质资源研究中心，研究员
龙　芳　湖南农业大学经济学院，教授
李谷成　华中农业大学经济管理学院，教授
张　勇　重庆大学经济与工商管理学院，教授
胡海华　西安建筑科技大学管理学院，副教授
周　晶　华中农业大学经济管理学院，讲师
陈　通　华中农业大学经济管理学院，讲师

丛 书 序

食物安全既是一个经济问题，更是一个重要的社会问题，事关国民经济发展和社会稳定大局。近些年我国的粮食连续增产，为保障国家粮食安全和食物安全，支撑经济社会发展提供了有力保障。但与此同时，我国生态环境承载压力在不断加大，耕地水资源的约束也越来越紧，农业环境污染比较突出，耕地质量下降，生产成本上升，灾害风险加大。面对资源、市场、气候、生态等各方面的挑战，实施新形势下国家粮食安全战略势在必行。2015 年《中共中央 国务院关于加快推进生态文明建设的意见》明确要求，“协同推进新型工业化、信息化、城镇化、农业现代化和绿色化”，从而形成新型工业化、城镇化、信息化、农业现代化和绿色化“五化”协同发展的战略推进格局。绿色化成为我国现代化建设的重要内涵，自然也成为农业现代化的重要遵循。“绿起来”同时也成为我国新阶段食物安全发展的新目标和新遵循。同时，加入世贸组织近 20 年来，我国农业全面对外开放的格局基本形成，我国农业与世界市场的关联程度日益增强，对我国农业产生了深刻的影响。

面对经济新常态和国际发展新形势，如何在国际化和绿色化背景下，充分发挥自然禀赋优势和市场决定性作用，促进资源、环境和现代生产要素的优化配置，加快推进形成人口分布、食物生产布局与资源环境承载能力相适应的耕地空间开发格局，就成为保障我国食物安全的关键问题。

2016 年 1 月至 2019 年 3 月，中国工程院开展了“国际化绿色化背景下国家区域食物安全可持续发展战略研究”重大咨询项目研究。项目在自然资源可持续利用原则指导下，以地理位置、地貌、气候、经济、农业与农作制的综合相似性为依据（分东北、华北、华中、东南沿海、西北、西南六个研究区域），结合经济社会发展重大区域（“一带一路”、京津冀和长江经济带）战略布局及产业效率效益引导，对我国区域食物安全可持续发展战略分专题进行系统深入研究。

项目对我国食物生产能力、消费水平、贸易情况及食物生产对环境影响情况进行了整体分析，并对我国区域食物在生产区域格局、区域自给率、各品种消费区域特征及粮食区域供需及流通格局进行了研究，发现如下问题：一是绿色化背景下我国区域食物安全面临着农产品国际竞争力不足的状况；二是资源环境约束日益趋紧，各区域面临不同模式资源环境制约绿色发展的现状；三是西部地区基础设施薄弱；四是区域食物安全协同发展存在利益协调机制不健全、协同调控机制不完善的问题。在此基础上，对我国区域食物安全保障应对国际化绿色化发展的资源、经济、环境及科技潜力进行了分析，为国际化绿色化区域食物安全可持续发展提出全国层面及各区域的战略构想和相关政策建议。

研究认为，我国粮食生产区域格局呈现生产重心由南向北、由东西部向中部转移；各区域食物自给率不均，呈现东北、华北、华中地区较高，西南、东南地区较低的特征；谷物各品种消费区域特征明显，稻谷消费主要集中于华东、中南和西南地区，玉米消费主要集中在中南、华东和西南地区，小麦消费主要集中于华东、中南和华北地区；中国粮食主产区和主销区位置变迁，由历史上的“南粮北调”变为“北粮南运”，三种类型粮食流通区域基本形成，六大跨省物流通道保障区域产销平衡。

研究提出了国际化绿色化区域食物安全可持续发展的战略构想，为确保实现区域粮食安全、食物质量安全、生态环境安全、农业竞争力提升和农民持续增收提供了重要决策依据。全国层面战略主要包括区域大食物安全战略、区域产业融合战略、区域统筹协调发展战略、区域绿色可持续战略、区域国际化开放战略及农业品牌提升战略六大战略，各区域重点战略主要如下：东北地区为“保护黑土地，推进‘粮经饲’三元结构和农牧结合”；华北地区为“发展水资源短缺条件下的适水农业”；华中地区为“走资源集约、资本集约、技术集约和规模经营发展道路”；东南沿海地区为“发展特色农业、精品农业、开放农业和三产融合新业态”；西南地区为“生态屏障、适度发展”；西北地区为“退耕还林还草、调整产业结构”。

“国际化绿色化背景下国家区域食物安全可持续发展战略研究”丛书是众多院士和多部门多学科专家、企业工程技术人员及政府管理者辛勤劳动和共同努力的结果，在此向他们表示衷心的感谢，特别感谢项目顾问组的指导。

希望本丛书的出版，对深刻认识国际化绿色化背景下我国食物安全面临的新挑战和新机遇，强化各区域食物安全保障能力，确保国家食物安全起到积极的作用。

“国际化绿色化背景下国家区域食物安全
可持续发展战略研究”项目组

2021年11月23日

前　　言

食物是关系人类生存繁衍、国家安危、社会发展最基本的生活必需品，因此世界各国把保障食物安全作为农业生产的核心政策目标之一。我国是世界人口大国和耕地等资源较为紧缺的国家，确保口粮绝对安全，稳定食物供应，“将饭碗牢牢端在自己手上”始终是我国国民经济的头等大事和不能动摇的基本国策。

20 世纪 70 年代末到 80 年代，依靠家庭联产承包责任制的推行，我国基本解决了居民的温饱问题。20 世纪 90 年代以来，随着收入水平的提升，我国居民膳食结构优化升级，肉、禽、蛋、奶等食物消费比例不断增加。21 世纪以来，我国居民膳食结构开始向小康水平过渡，特别是 2030 年要达到中等发达国家水平，这意味着我国人均收入与消费水平还将明显提升，膳食结构还会继续明显改善。对转型期我国食物安全状况进行评估和预测，是一项十分重要和迫切的课题。

本书研究范围为长江中下游的华中五省（江苏、安徽、江西、湖北、湖南），占地面积 80.72 万 km^2，季风气候显著，水热条件好，是我国重要的商品粮特别是水稻产区之一。华中五省稻谷产量约占全国稻谷产量的一半，农林牧渔总产值大体上占我国农林牧渔总产值的 1/4。得益于优越的水资源条件，华中地区渔业产值占全国渔业总产值的比例高达 33%。因此，华中地区食物稳定生产对于保障国家食物安全、农产品有效供给具有重要意义。

我们的工作有幸获得中国工程院重大咨询项目——“国际化绿色化背景下国家区域食物安全可持续发展战略研究”（2016-ZD-09）的支持。我们承担项目课题——“华中地区食物安全可持续发展战略研究”（2016-ZD-09-02）相关工作。在研究中，我们采用田野调查、深度访谈、统计分析方法，结合统计数据、农户调查数据、新型经营主体访谈资料等资料，对华中地区食物安全现状、食物安全未来演化趋势进行分析和预测，并特别就华中五省水稻种植、小麦种植、柑橘种植、淡水鱼养殖、重金属污染防治、良田整治、新型经营主体培育展开专题分析。

本书共分四章。第一章为绪论，第二章介绍华中地区食物安全现状，第三章利用田野调查数据剖析华中地区食物安全情况，第四章为总结、展望与建议。本研究得到众多同行专家的大力支持和无私帮助，在此表示诚挚的感谢！当然，由于水平和能力所限，书中难免存在不足之处，敬请广大读者不吝赐教。

“华中地区食物安全可持续发展战略研究”课题组

2022年7月

目　录

第一章　绪　　论

食物是关系人类生存繁衍、国家安危、社会发展最基本的生活必需品，因此世界各国投入了大量资源用于以粮食为代表的食物生产，并且把实现食物安全作为各国政府发展农业生产的核心政策目标之一。实现食物安全对于历史上曾遭遇过饥荒的我国来说至关重要，历届政府的政策都在保障“将饭碗牢牢端在自己手上”。至20世纪80年代末期，我国已基本解决了居民温饱问题，特别是90年代以来，随着居民收入水平的提高，膳食结构正在快速调整和转型，同时，21世纪以来，居民膳食结构开始向小康水平过渡，肉、禽、蛋、奶等的消费比例不断提升，其中，城市居民食品消费支出中粮食消费占比从1995年的15%下降到2012年的8%，而同时期农村居民粮食消费量下降了33%，牛羊肉上升了44%。21世纪初期是我国经济发展与城镇化的关键时期，2030年要达到中等发达国家水平，这就意味着我国人均收入与消费水平还将明显提升，膳食结构还会继续明显改善。对转型期我国食物安全状况进行监测和预警，提早发现问题，做好防止警情出现的预案，是一项十分重要且迫切的课题，于国于民都是一件好事。

第一节　课 题 简 介

一、课题信息

本课题属于中国工程院重大咨询项目——“国际化绿色化背景下国家区域食物安全可持续发展战略研究”的课题之一。重大咨询项目设置了东北、华北、华中、东南沿海、西北、西南、现代农业转型和发展趋势研究等八个课题。本课题是华中课题，研究范围为湖北、湖南、江西、安徽、江苏五省，主要由华中农业大学承担。如无特别说明，本书中华中地区特指湖北、湖南、江西、安徽、江苏五省，并且华中地区与华中五省具有相同的含义。

另外，需要说明的是，由于多方面的原因，本课题研究部分报告内容一直延迟到2022年才得以出版（即本书）。实际上，课题研究的最终报告几年前就已经完成。为了保留课题研究的原本内容，以及与其他课题组的书稿保持一致，本书在出版时对相关数据指标未作更新处理，特别是第四章关于华中地区食物供求趋势预测的时间段仍遵循中国工程院在课题研究初期（2016～2030年）做出的规定。基于同样的原因，本书中的一些内容，特别是数据未根据社会经济形势的发展而更新，如精准扶贫、“十三五”等。

二、食物安全定义

联合国粮食及农业组织（Food and Agriculture Organization of the United Nations，FAO）在1974年将食物安全定义为：保证任何人在任何时候都能得到为了生存和健康所需要的足够的食品。FAO 在 1983 年将食物安全的定义扩展为：食物安全的最终目标应该是确保所有人在任何时候既能买得起又能买得到他们所需的基本食品。随后，FAO 在 1996 年又将食物安全的定义丰富为：只有当所有人在任何时候都能在物质上和经济上获得足够、安全、富有营养的食物来满足其积极健康的膳食需要及食物喜好时，才实现了食物安全。

2001 年，世界粮食安全委员会提出了包括营养与健康、可利用性和经济获得性等 7 项衡量世界粮食安全的监测指标，并指出国家粮食安全的监测评估指标要突出考虑满足人民群众最基本的粮食需要。在此基础上，世界粮食安全委员会（2001 年）将粮食安全定义为所有人在任何时候都能在物质上和经济上获得足够、富有营养和安全的粮食。

国内不同研究对食物安全的定义有所差异，但共同之处在于中国的食物安全应具有中国特色，即“手中有粮，心中不慌”。在参照上述食物安全定义的基础上，本课题将我国食物安全定义为：既要确保数量安全，也要保障质量安全，其中现阶段先确保数量安全，同时启动质量安全。

三、华中地区粮食安全形势

本课题研究地域包括江苏、安徽、江西、湖北、湖南五省，地处长江中下游，陆地面积 80.72 万 km^2，均是我国重要粮食主产区，在我国粮食安全中扮演着重要的角色。根据《中国农村统计年鉴 2020》（国家统计局农村社会经济调查司，2020），2019 年华中五省粮食产量为 15 650.7 万 t，占全国粮食产量的比例为 23.52%，总产值为 5343.9 亿元，占全国总产值的比例为 23.23%；谷物产品总产量为 15 045.6 万 t，占全国谷物产品总产量的比例为 24.52%，其中水稻总产量为 10 126.5 万 t，占全国水稻总产量的比例高达 48.31%；水果总产量为 4455.4 万 t，占全国水果总产量的比例为 16.26%。得益于良好的淡水水域生产条件，华中五省淡水产品产量达 1561.3 万 t，占全国淡水产品总产量的比例更是高达 48.82%。所以，华中地区食物的稳定生产对保障国家食物安全、农产品有效供给有重要意义。

华中地区食物生产具有如下特点。①季风气候明显，水热条件好。华中五省的年平均气温为 17.44℃[①]，年平均降雨量为 1037.68mm，年平均日照时长为 1716.66h，水资源总量达到 5535.2 亿 m^3。②相较于粮食产量，耕地面积在全国占比较低。华中五省耕地面积为 2290.80 万 hm^2[②]，仅占全国耕地总面积的 16.99%。③谷物粮食，特别是水稻播种面积在全国占比大。2019 年华中地区作物播种面积为 3768.45 万 hm^2，占全国作物总播种面积的 22.71%，粮食播种面积为 2555.86 万 hm^2，占全国粮食总播种面积的 22.02%；谷物播种面积为 2337.53 万 hm^2，占全国谷物总播种面积的 23.89%，其中稻谷播种面积 1418.15 万 hm^2，占全国稻谷总播种面积的 47.76%，而小麦和玉米的播种面积分别为 623.70 万 hm^2 和 286.13 万 hm^2，分别占全国小麦和玉米各自总播种面积的 23.73%和 6.21%；蔬菜和瓜果的播种面积分别为 532.27 万 hm^2 和 571.60 万 hm^2，分别占全国蔬菜和瓜果各自总播种面积的 25.51%和 26.38%。④淡水产品养殖面积与产量较高，在全国

① 除非特别说明，本文所引用数据均来自《中国农村统计年鉴 2020》。

② 此处为 2017 年数据，来源于《中国农村统计年鉴 2020》。

各区域中最为突出。华中五省的淡水产品捕捞产量为90.74万t，占全国淡水产品捕捞总产量的49.28%；养殖产量为1470.59万t，占全国淡水养殖总产量的48.80%；养殖面积为245.49万hm^2，占全国淡水养殖总面积的34.53%。⑤农业劳动人口和劳动力充足。华中五省的总人口为3.19亿，占全国总人口的22.82%；乡村人口为1.24亿，占五省总人口的38.87%，占全国乡村总人口的22.56%；第一产业从业人口为0.54亿，占全国第一产业从业人口的27.54%。⑥农业经营由分散的家庭经营向专业的适度规模经营转变。“十二五”期间，华中五省抓住时机加快发展多种形式的规模经营，健全土地承包经营权流转市场，促进人地资源合理配置，转变农业经营方式，提高家庭经营集约化生产水平，农业经营由分散的家庭经营向专业的适度规模经营转变。⑦相较于全国水平，农业科技进步贡献率较高。2015年华中五省农业科技进步贡献率基本达到60%，高于全国近4个百分点，特别是江苏省2015年农业科技进步贡献率达到65.2%，领先全国其他地区。⑧机械化程度较低。华中五省的农业机械总动力为25 220.7万kW，占全国比例为24.54%；农用柴油使用量为322万t，占全国比例仅为16.65%。⑨化肥、农药使用量大，地力退化。华中五省化肥施用量为524.90kg/hm^2，超出全国平均水平31.02%；农药施用量为18.37kg/hm^2，超出全国平均水平78.04%。

综上所述，华中五省食物生产在我国食物安全体系中具有重要的地位，同时也存在诸多问题，但是这同样意味着华中地区的食物生产有着巨大的潜力。

表1-1显示了华中五省粮食产量、耕地面积和人口在全国的地位。从耕地面积来看，华中五省耕地面积介于300万hm^2与600万hm^2之间，其中江西省耕地面积最少，只有308.60万hm^2，而安徽省耕地面积最多，达到586.68万hm^2。五省耕地面积合计达到2290.80万hm^2，占全国耕地面积的比例为16.99%。

表1-1 2019年华中五省粮食生产在全国的地位

地区	粮食产量		耕地面积		人口	
	产量（万t）	全国占比（%）	面积（万hm^2）	全国占比（%）	数量（万人）	全国占比（%）
湖北	2 725.0	4.10	523.09	3.88	5 927	4.23
湖南	2 974.8	4.48	415.10	3.08	6 918	4.94
江西	2 190.7	3.25	308.60	2.29	4 666	3.33
安徽	4 054.0	6.11	586.68	4.35	6 366	4.55
江苏	3 706.2	5.58	457.33	3.39	8 070	5.76
总计	15 650.7	23.52	2 290.80	16.99	31 947	22.81

数据来源：《中国统计年鉴2020》和《中国农村统计年鉴2020》

从人口规模来看，华中五省各省人口介于4500万人与8100万人之间。其中，江西省人口最少，只有4666万人，而江苏省人口最多，有8070万人。五省人口合计达到3.1947亿，占全国人口的22.81%。对比华中五省耕地面积占全国耕地面积的比例和人口占全国人口的比例可以发现，华中地区人均耕地面积低于全国平均水平，人地矛盾高于全国平均水平。

从粮食产量来看，2019年华中五省粮食产量介于2000万t与4100万t之间。其中，江西省粮食产量最低，只有2190.7万t，而安徽省粮食产量最高，为4054.0万t。2019年华中五省粮食总产量达到 15 650.7 万 t，接近全国粮食总产量的 1/4。由此可见，华中地区粮食生产对全国粮食产量具有重要贡献，在保障全国粮食安全中处于举足轻重的地位。

第二节　研究设计与实施

一、研究设计

本书分为两个部分。第一部分主要从各类统计年鉴（如中国和华中五省统计年鉴）、数据库（布瑞克农业数据库）获取资料，分别对华中五省食物安全现状进行系统分析。分析内容包括华中五省的主粮、蔬果、淡水产品等食物的生产条件，生产、流通、贸易、储备、加工、消费现状，以及食物生产中存在的问题，最后给出相应的对策建议。这部分研究内容由本课题组成员负责。

第二部分运用大规模问卷调查、深度访谈、案例分析等方法，分别就七个主题在华中五省开展综合实地调查研究（表 1-2）。这七个主题具体包括：①水稻种植情况；②小麦种植与赤霉病防治情况；③水果（柑橘）种植情况；④淡水鱼类养殖情况；⑤耕地重金属污染情况；⑥良田建设情况；⑦新型经营主体情况。这部分的研究内容由华中农业大学牵头，联合江西农业大学、江西省农业科学院、安徽农业大学、安徽省农业科学院、南京农业大学、湖南农业大学共同组织师生完成。

表 1-2　实地调查研究设计

选题	问卷调查	深度访谈	案例分析
水稻	√	√	—
小麦与赤霉病	√	√	—
水果（柑橘）	√	√	—
淡水产品（鱼类养殖）	√	√	—
耕地重金属污染	√	√	—
良田建设	√	√	—
新型经营主体	√	√	√

“—”表示没有相应内容

二、调查实施

（一）问卷调查

课题组分别于 2016 年 7～8 月、2016 年 10 月、2017 年 1～2 月三个时间段，组织华中农业大学、江西农业大学、江西省农业科学院、安徽农业大学、安徽省农业科学院、南京农业大学、湖南农业大学师生，共同发放近 4500 份问卷，收回有效问卷 3021 份（表 1-3）。从调查主题来看，水稻数量最多，1202 份，良田建设 402 份，小麦与赤霉病 391 份，耕地重金属污染 304 份，鱼类养殖 282 份，新型经营主体 255 份，水果（柑橘）185 份。从地域上来看，江西数量最多，872 份，湖北、湖南、安徽、江苏分别为 714 份、477 份、404 份、554 份。

表 1-3 问卷回收情况

地区	问卷回收数（份）							
	水稻	小麦与赤霉病	水果（柑橘）	鱼类养殖	耕地重金属污染	良田建设	新型经营主体	总计
湖北	379	79	26	41	37	81	71	714
湖南	142	74	27	41	46	97	50	477
江西	257	87	120	133	100	104	71	872
安徽	191	80	5	31	34	35	28	404
江苏	233	71	7	36	87	85	35	554
总计	1202	391	185	282	304	402	255	3021

（二）深度访谈

课题组面向农业主管部门干部、农业技术和农业经济领域专家、农业企业高层管理人员、农资经营者及农户完成访谈 74 人次，详情见表 1-4。其中专家学者 25 人次，主要来自于农业科技、农业经济等领域，省、厅、市、县、镇各级主管农业的干部 21 人次，农企高管 12 人次，农资与农机销售人员 2 人次，农户 14 人次。

表 1-4 访谈对象数量

地区	访谈对象数量（人次）					
	农业主管部门干部	专家学者	农企高管	农资与农机销售人员	农户	总计
湖北	3	8	4	1	5	21
湖南	5	5	3	0	1	14
江西	3	7	4	1	2	17
安徽	7	2	0	0	4	13
江苏	3	3	1	0	2	9
总计	21	25	12	2	14	74

（三）案例分析

2017 年 3 月，课题组赴湖北省天门市华丰农业专业合作社、孝感市春晖集团进行调研，了解典型新型经营主体的发展历程、生存现状、面临的困难以及急需解决的问题。形成 7 万多字的调查材料，并收集了大量音频、视频和图片资料。

（四）专家研讨

2016 年 10 月 22 日，课题组在湖北省黄冈市蕲春县举行了中国工程院粮食安全战略研讨会。中国工程院院士邓秀新、傅廷栋、陈温福、罗锡文、张洪程，中国科学院院士张启发，农业部、湖北省农业厅、中国农业科学院、湖南、江西、南京及华中农业大学的 23 名专家学者参加了研讨会。研讨会上，时任华中农业大学经济管理学院院长的青平教授代表中国工程院“华中地区食物安全可持续发展战略研究”课题组作了课题组第一阶段成果汇报。与会专家在听取汇报后，对课题下一步实施计划提出了指导建议。

2017 年 7 月，项目综合组与本课题组在湖北武汉举行了综合报告修改研讨会，中国农业科学院王东阳、王秀东、王燕明等专家，华中农业大学的多位专家参加研讨会。研讨会上，青平教授代表中国工程院“华中地区食物安全可持续发展战略研究”课题组作了课题组综合成果汇报。与会专家在听取汇报后，对课题下一步实施计划提出了指导建议。

第二章　华中地区食物安全现状、生产潜力与面临的问题

第一节　华中地区食物安全现状

一、食物生产（2000～2019年）

（一）近年来稻谷产量以增产为主、增速平缓，在全国占比相对稳定

2000～2019年，华中五省稻谷产量呈现明显的上升趋势，年均增长率为0.94%。20年里，华中五省稻谷产量增加1722万t（表2-1）。2000～2003年，华中五省稻谷产量逐年减少，2003年华中五省稻谷产量减至7140.18万t，创下这20年里最低产量记录。2003～2019年，华中五省稻谷以增产为主，除了2010年、2013年和2019年相比上一年有小幅减产外，其他年份稻谷产量均较其上一年有所增加。2018年稻谷产量增至10 371万t，实现2000～2019年的最高产量。就所占比例而言，在这20年间，华中五省稻谷产量在全国稻谷产量中占比比较稳定，基本上处于44.00%与49.00%之间，几乎占全国稻谷产量的一半，充分体现了华中地区粮食主产区的地位。2010年以来，华中五省稻谷产量在全国稻谷产量中占比几乎逐年增长，增速平缓，2018年占比高达48.89%。

表2-1　2000～2019年华中五省与全国稻谷生产情况

年份	华中五省稻谷产量（万t）	全国稻谷产量（万t）	华中五省占比（%）
2000	8 404.50	18 790.80	44.73
2005	8 456.20	18 058.80	46.83
2010	9 113.39	19 576.10	46.55
2015	9 894.50	20 822.50	47.52
2016	9 688.62	20 707.50	46.79
2017	10 333.80	21 267.60	48.59
2018	10 371.00	21 212.90	48.89
2019	10 126.50	20 961.40	48.31

数据来源：2001～2020年出版的中国统计年鉴、湖北统计年鉴、湖南统计年鉴、安徽统计年鉴、江苏统计年鉴和江西统计年鉴

（二）小麦生产呈明显的波动上升趋势

2000～2019年，华中五省小麦产量呈现明显的波动上升趋势，年均增长率为3.29%。2000～2003年是这20年间比较特殊的一个阶段，因为这一阶段华中五省小麦处于逐年减产的状态。但是，2003年以后，华中五省小麦产量处于逐年增加的状态。2006～2011

年，华中五省小麦产量经历了先快速增加后平缓增加，2011 年实现产量 2571.94 万 t。2011 年以后，华中五省小麦产量继续保持增长势头，2015～2019 年连续突破产量 3000.00 万 t，2017 年更是取得 3379.60 万 t 的喜人成绩。就所占比例而言，华中五省小麦产量在全国小麦产量中占比呈现明显的上升趋势。2005 年以前，华中五省小麦产量在全国小麦产量中占比保持在 15.00%与 20.00%之间。2005～2007 年，这一占比飞速攀升，突破 20.00%，2007 年占比达 22.36%。2007 年以后，这一占比继续保持平稳增长，2017 年以后占比更是连续突破 25%。

（三）玉米产量呈现明显的上升趋势，但占全国的比例持续下降

2000～2019 年，华中五省玉米产量呈现明显的上升趋势，年均增长率为 3.16%。2006 年以前，华中五省玉米产量呈现明显的波动变化，2006 年产量减至 774.76 万 t。2006 年以后，华中五省玉米产量再次迎来增长期，除 2013 年玉米产量小幅减少外，其他年份玉米产量呈现良好的增长趋势，2019 年玉米产量达 1501.2 万 t。就所占比例而言，与华中五省玉米产量变化趋势相反，华中五省玉米产量在全国玉米产量中占比呈现明显的下降趋势。2000～2002 年，这一占比最大，保持在 7.50%左右。2002～2006 年，这一占比迅速下降。2006～2012 年，这一占比依然呈现下降趋势，但变化缓慢。2013 年，这一占比继续下降，降至 5.08%。2013 年以后，这一占比有所回升，占比始终稳定在 5.5%与 5.8%之间。

（四）大豆产量呈下降趋势，但占全国的比例呈波动变化

2000～2019 年，华中五省大豆产量呈现明显的下降趋势，年均下降率为 0.71%。2000 年，华中五省大豆产量为 273.00 万 t。2000～2002 年，华中五省大豆产量先减少后增加，并于 2002 年达到最高，318.90 万 t。2003～2009 年，华中五省大豆产量表现出一年增加再一年减少的交替规律。2009～2013 年，华中五省大豆产量逐年减少，2013 年产量减至 216.30 万 t。2014～2016 年，华中五省大豆产量有所增加，但依然挽回不了下降颓势。2017 年，华中五省大豆产量有所减少，2018～2019 年有小幅增加，但始终低于 240 万 t。就所占比例而言，华中五省大豆产量在全国大豆产量中占比波动较大。2000～2002 年，这一占比处于增加状态；2002～2005 年，这一占比处于减少状态；2005～2007 年，这一占比处于增加状态；2007～2011 年，这一占比处于减少状态；2011～2015 年，这一占比处于增加状态；2015～2019 年，这一占比处于减少状态。然而，无论这一占比如何波动，始终保持在 13.00%与 21.00%之间。

（五）蔬菜生产呈现明显的上升趋势，占全国的比例逐渐趋于稳定

2000～2019 年，华中五省蔬菜产量呈现明显的上升趋势，年均增长率为 4.65%。2000 年，华中五省蔬菜产量为 7047.70 万 t。2019 年，华中五省蔬菜产量达到 17 495.24 万 t。就所占比例而言，华中五省蔬菜产量在全国蔬菜产量中占比呈现上升趋势。2000～2001 年，这一占比变化最大。2000 年，占比为 16.65%；2001 年，占比跃至 23%。2001～2005 年，这一占比一直处于下降状态，但下降幅度较小，2005 年占比降至 20.79%。2005 年以后，这一占比处于波动上升趋势，但波动幅度比较小，占比基本上保持在 20.00%与 24.50%

之间。

（六）水果产量持续增加，占全国的比例逐渐趋于稳定

2000～2019年，华中五省水果产量呈现明显的上升趋势，年均增长率为9.73%。2003年，华中五省水果产量加速增长，产量为2608.13万t，相较于2002年增长了210.49%。2012年，华中五省水果产量首次突破了4000万t。就所占比例而言，华中五省水果产量在全国水果产量中占比逐渐趋于稳定。2000～2003年，这一占比有所增加，从11.17%增加到17.97%。2003年以后，这一占比几乎无变化，稳定在16%与17.5%之间。

（七）肉类产量在波动中增长

2000～2019年，华中五省肉类产量呈现上升趋势，同时表现出较大的波动，年均增长率为1.68%，2019年出现较大幅度下降，相较于2018年，产量下降了约12.83%。2000～2003年，华中五省肉类产量先降后升，波动较大。2003～2011年，华中五省肉类产量以增加为主，同时伴随着某些年份的短暂减产。就所占比例而言，华中五省肉类产量在全国肉类产量中占比呈现下降趋势，同时伴随着较大的波动。其占比曲线与产量曲线形状非常相似。2000～2003年和2011～2014年这两个时间段，这一占比波动很大，占比为21.00%～29.00%。2003～2011年，这一占比波动相对小得多，占比基本维持在28.00%～30.00%。2014～2015年，这一占比呈现下降趋势，但下降幅度较小。2016～2019年，这一占比趋于稳定，基本处于23%与24%之间。

（八）淡水产品产量快速增加，占全国淡水产品总产量的四分之一

2000～2019年，华中五省淡水产品产量呈现明显的上升趋势。这20年间，华中五省只有2006年和2016年出现过淡水产品产量小幅下降的情况，其余年份都表现为产量增加，且2015年实现了历史最高产量，1730.99万t（表2-2）。就所占比例而言，华中五省水产品产量在全国水产品产量中所占比例变化趋势比较稳定。2000～2008年，这一比例一直处于上升状态，从22.98%上升到26.14%；2008～2019年，这一比例尽管有升有降但总体波动很小，基本上处于25.5%与26.5%之间。

表2-2　2000～2019年华中五省与全国淡水产品生产情况

年份	华中五省淡水产品产量(万t)	全国淡水产品产量（万t）	华中五省占比（%）
2000	983.26	4278.48	22.98
2005	1232.32	5107.64	24.13
2010	1420.19	5373.00	26.43
2015	1730.99	6699.65	25.84
2016	1673.39	6379.48	26.23
2017	1683.06	6445.33	26.11
2018	1681.09	6457.66	26.03
2019	1698.34	6480.36	26.21

数据来源：2001～2020年出版的中国统计年鉴、湖北统计年鉴、湖南统计年鉴、安徽统计年鉴、江苏统计年鉴和江西统计年鉴

二、食物流通

（一）渠道建设

在华中五省的农产品流通渠道中，批发市场在各省均占据绝对的主导地位，成为各省农产品流通的主要渠道，其次是集贸市场。目前，华中五省发展、完善了物流模式，使得物流模式多样化，更便于物流的正常运转。华中五省相继发展了“公司+基地+农户”、“中介组织+农户”、“农贸市场+农户”和专业配送中心等物流模式，初步形成了以产地批发市场、销地批发市场和零售农贸市场三级市场流通为主，以自销、直销流通为辅的农产品流通格局。

（二）运输建设

华中五省农产品物流基础设施不断完善。以湖北省为例，在交通运输方面，2015年底，湖北省综合交通网总里程约 27.20 万 km（不含民航航线、城市内道路），综合交通网密度达 146.30km/100km^2。其中，铁路营业里程 4060.00km（其中，高速铁路 1033.00km），公路通车总里程 25.30 万 km（其中，高速公路 6204.00km），内河通航里程 8638.00km（其中，高等级航道 1738.00km），油气管道里程 6740.00km。湖北省省内河港口年均吞吐能力 3.10 亿 t，集装箱吞吐能力 433.00 万标箱，民航机场旅客吞吐量突破 2000.00 万人次。

（三）信息建设

在物流中，信息流占据非常重要的地位。信息不对称往往会给市场主体带来不同程度的威胁甚至损失。因此，华中五省非常重视信息建设。以江西省为例，目前江西省已经建立了面向农村的专业性农业信息网，覆盖了 80.00%的乡镇。它依托卫星气象综合业务系统，使现代化通信网络与农村基层信息组织有机结合起来，实现了信息的纵向贯通、横向相连。①省农村经济信息网。于 2000 年 7 月正式开通，网站开设了价格行情、供求热线、专家咨询等 10 多个服务栏目，每天有大量信息在网上发布，已基本成为江西省农村经济信息中心的枢纽。②县级农村经济信息中心。其运作模式由省统一规划，信息来源于在全县乡镇聘请的专（兼）职信息员采集的信息，到 2001 年 7 月为止，已有 60 个县（市、区）建成农村经济信息中心。③乡镇以下市场信息处理网络。乡镇农村经济信息服务站的建设工作才刚刚起步，软硬件大都还不到位，农户获得农产品市场信息仍以传统渠道为主。

（四）冷库建设

农产品的易腐蚀性给农产品的运输、销售带来了很大阻碍。因此，在物流中引进冷库，延长农产品的保质期十分重要。在 2000～2019 年的 20 年里，华中五省冷库建设不断完善。目前，华中五省冷库建设主要考虑冷库数量、冻结能力、冷藏能力、制冰能力等四项指标。在这 20 年里，华中五省冷库数量逐年增加，呈现明显的上升趋势；冻结能力、冷藏能力、制冰能力也都呈现明显的上升趋势。从波动上看，在这四项指标里，波动最大的是冷藏能力，其次是制冰能力，再次是冻结能力，波动最小的是冷库数量。

三、食物消费

（一）食物消费总量和结构

1. 稻谷消费呈现波动下降趋势

从总体上看，华中五省的稻谷消费呈现波动下降趋势，年均下降率为 0.07%。1997～1999 年，华中五省稻谷消费量处于增长状态，1999 年稻谷消费量更是达到 6320.40 万 t。2008 年稻谷消费量达到低点。2008 年以后，华中五省的稻谷消费经历了较长的复苏与繁荣时期，除了 2010～2011 年有小幅下降以外，其稻谷消费量都有较大幅度的增长。

华中五省所产稻谷可用于多种消费用途。其中，最主要的四种用途是工业消费、口粮消费、饲用消费和种用消费。从绝对数量上看，口粮消费在 1997～2012 年的 16 年间每年的稻谷消费量都在 5000.00 万 t 以上，以绝对的优势远超其余三种稻谷消费。口粮消费呈现明显的下降趋势，种用消费也呈现下降趋势，但变化幅度要比口粮消费小得多；其余两种消费用途都呈现增长趋势。1997～1999 年，华中五省稻谷口粮消费处于下降状态，1999 年降至 5520.69 万 t。2008～2010 年，稻谷口粮消费小幅回暖，并于 2010 年增长至 5212.00 万 t。然而，2010 年以后，稻谷口粮消费再次下降。虽然稻谷口粮消费降势明显，未来可能继续下降，但其消费量依然具有压倒性的优势，依然需要重视。

2. 小麦消费总体上呈现上升趋势

1996～2011 年的 16 年间，华中五省小麦消费总体上呈现上升趋势，年均增长率为 0.46%。华中五省小麦消费量经历了三次高潮。第一次是个小高潮，发生在 1997 年；第二次消费高潮发生在 2003 年；第三次消费高潮发生在 2008 年。1997 年过后，华中五省的小麦消费进入较长的低迷时期，2001 年小麦消费量降至 2412.77 万 t。2001～2003 年，小麦消费强势回暖，并于 2003 年实现消费量 2503.43 万 t，掀起了华中五省小麦消费的第二次高潮。2003～2008 年，华中五省小麦消费经历了几年的低潮后强力追击，于 2008 年出现第三次小麦消费高潮，小麦消费量达 2606.13 万 t。2009 年，小麦消费再次回落，但依然处于较高消费水平。2009 年过后，华中五省小麦消费以较为平稳的速度继续增长。

华中五省小麦主要用于四种消费用途，分别是工业消费、口粮消费、饲用消费和种用消费。在华中五省小麦的四种消费用途中，口粮消费和种用消费总体上呈下降趋势，工业消费和饲用消费总体上呈上升趋势。从绝对数量上看，相比于其他三种消费用途，小麦口粮消费依然具有绝对优势。从波动情况来看，小麦饲用消费的波动最大，种用消费的波动最小，工业消费和口粮消费介于二者之间。

3. 玉米消费快速增长，且以饲料消费为主

1998～2011 年的 14 年间，华中五省玉米消费总量呈现明显的上升趋势，年均增长率为 3.88%。与稻谷消费、小麦消费一样，华中五省的玉米也用于四种消费用途，但以饲用消费为主。1998～2011 年的 14 年间，华中五省玉米饲用消费量呈现明显的上升趋势，年均增长率为 3.63%。总的来说，玉米饲用消费量各年变化非常小，表明玉米饲用

消费量在这 14 年间较为稳定。1998～2002 年，华中五省玉米饲用消费量逐年增长，2002 年增长至 1459.63 万 t。2003 年，华中五省玉米饲用消费量有所回落。2003 年以后，华中五省玉米饲用消费量呈现逐年递增的趋势。2003～2008 年，玉米饲用消费量增长较快；2008～2011 年，玉米饲用消费量增长放缓。总的来说，玉米饲用消费态势良好。

4. 大豆消费量快速增长，其中食用油消费占主导

2000～2009 年的 10 年里，华中五省大豆消费量呈现明显的上升趋势，年均增长率为 8.74%。与稻谷、小麦、玉米等三大主粮的消费用途有所不同，华中五省的大豆主要用于食用消费、压榨消费和种用消费。无论是大豆食用消费还是压榨消费或者种用消费，在 2000～2009 年的 10 年里都呈现上升趋势。其中，大豆压榨消费量的上升趋势最为明显，其次上升趋势较为明显的是食用消费量，上升趋势最不明显的是种用消费量。从波动情况来看，大豆种用消费波动最大，其次波动较大的是压榨消费，波动最小的是食用消费。从绝对数量上看，大豆压榨消费占绝对优势，其次是食用消费，种用消费量相对较少。

（二）城乡居民食物消费

1. 城镇居民家庭食物消费中粮食消费持续下降，肉类和奶类消费持续上升

2001～2016 年，在华中五省城镇居民家庭的主要食品消费中，粮食消费呈现明显的下降趋势，奶类消费呈现明显的上升趋势（表 2-3）。除此之外，蔬菜、水产品消费保持稳定，而肉类消费也呈现上升趋势。华中五省城镇居民家庭的主要食品消费中，占据主导地位的是蔬菜消费，其次是粮食消费，第三是瓜果类消费。除了这三类主要食品消费，华中五省城镇居民家庭的肉类消费较多，水产品、蛋类、奶类等消费也占一定比例。相比其他几类主要食品消费，水产品、蛋类、奶类等三类食品消费量非常接近。这体现了华中五省城镇居民的健康与营养意识的增强与提高。

表 2-3　2001～2016 年华中五省城镇居民家庭主要食品人均年消费量

年份	粮食	蔬菜	肉类	水产品	蛋类	奶类	瓜果类
2001	82.99	117.03	30.76	15.28	12.67	10.83	65.93
2005	78.87	113.39	35.79	13.66	13.21	20.55	58.37
2010	67.82	117.15	33.42	14.78	11.86	20.41	55.82
2016	68.68	115.06	35.86	15.09	13.04	20.44	55.28

数据来源：《中国住户调查年鉴 2016》；2001～2016 年出版的湖北统计年鉴、江苏统计年鉴、江西统计年鉴、安徽统计年鉴、湖北调查年鉴等

2. 农村居民家庭食物消费中粮食、蔬菜消费持续下降，肉类和瓜果等消费持续上升

2001～2016 年的 16 年间，在华中五省农村居民家庭主要食品的消费中，粮食和蔬菜消费呈现明显的下降趋势，而肉类、水产品、蛋类、奶类和瓜果类等食品消费呈现明显的上升趋势（表 2-4）。这可能是因为农村经济水平与生活水平的不断提高以及农村居民健康营养意识的不断增强。在华中五省农村居民家庭主要食品的消费中，占主导地位

的是粮食消费，其次是蔬菜消费。肉类和瓜果类消费在农村居民家庭中占一定的消费比例。此外，华中五省农村居民家庭也会购买些水产品、蛋类和奶类，但其消费量远低于肉类和瓜果类的消费量。在华中五省农村居民家庭食品消费中，消费量最少的是奶类。这可能与牛奶价格高、渠道铺设不足等有关。

表 2-4 2001～2016 年华中五省农村居民家庭主要食品人均年消费量

年份	粮食	蔬菜	肉类	水产品	蛋类	奶类	瓜果类
2001	267.73	120.81	14.71	5.53	4.66	0.09	15.21
2005	220.92	119.12	21.01	7.14	4.68	0.32	11.55
2010	190.22	117.54	21.03	7.20	4.85	1.07	12.05
2016	168.37	103.04	27.53	10.19	8.32	4.75	23.67

数据来源：《中国住户调查年鉴 2016》；2001～2016 年出版的湖北统计年鉴、江苏统计年鉴、江西统计年鉴和安徽统计年鉴、湖北调查年鉴、湖南调查年鉴

（三）在外用餐现状

我国城乡居民的食品消费中，在外用餐日益成为重要的消费构成部分。随着生活水平的提高和工作方式的转变，家庭户内消费保持稳定增长的同时，冷冻、半成品、熟制品、干制品等加工肉类制品的消费和户外消费显著增加。据有关资料，2008 年城镇居民人均在外用餐支出达到 877.85 元，比 1995 年的 160.66 元增长了 4.46 倍，在外用餐支出占食物总支出的比例也由 9.00%增长到 20.60%。1978 年，农村居民人均在外用餐支出仅为 3.00 元，到 2007 年已达 190.00 元，增长了 62.33 倍，占食品支出的比例也由 1978 年的 2.00%提高到 2007 年的 13.50%。

第二节 华中地区食物安全的生产潜力

一、显性资源潜力

（一）耕地，尤其是水田资源丰富

华中五省具有优越的粮食生产条件，江汉平原、洞庭湖平原、鄱阳湖平原、江淮平原都是全国性的商品粮生产基地。华中地区拥有肥沃的土地资源，绝大多数区域都有深厚的土层和营养元素含量丰富的土壤。华中五省的耕地资源较为丰富，表 2-5 反映了 2010～2017 年华中五省耕地面积及其占全国比例的情况，2017 年华中五省的耕地面积为 2291.30 万 hm^2，占全国耕地面积的比例达到了 16.99%。在过去的几年中，虽然华中五省的耕地面积略有下降，但始终维持在占全国耕地面积的 17%左右，为了保障粮食安全，未来华中五省需要维持耕地面积不变。

华中五省是水稻种植重点区域。华中五省地势平坦，水资源较充足，耕地主要由水田构成。2010～2015 年，华中五省的水田面积有小幅度的下降，由 2010 年的 1407.68 万 hm^2 下降至 2015 年的 1398.02 万 hm^2，下降幅度为 0.69%。但华中五省的水田面积占全国水田面积的比例始终维持在 40%左右，说明华中五省的水田在全国具有重要的地位。

表 2-5　2010～2017 年华中五省耕地面积及其占全国耕地面积的比例

年份	华中五省耕地面积（万 hm^2）	全国耕地面积（万 hm^2）	华中五省占比（%）
2010	2 302.52	13 526.83	17.02
2011	2 299.91	13 523.86	17.01
2012	2 298.57	13 515.84	17.01
2013	2 298.33	13 516.34	17.00
2014	2 294.24	13 505.73	16.99
2015	2 293.57	13 499.87	16.99
2016	2 291.48	13 492.09	16.98
2017	2 291.30	13 488.12	16.99

数据来源：2011～2020 年出版的中国统计年鉴

（二）光热资源充足，搭配适当

华中地区处于我国南北气候过渡带，气候复杂多样，非常适宜农作物的生长，具有发展粮食的良好条件。华中五省均位于长江中下游地区，纬度偏低，而且距离海洋不远。春季天气易变，春夏之交冷暖气流交汇，梅雨连绵；夏季多受副热带高压控制，盛行偏南风；夏秋之季，气流单一，炎热干燥；冬季常受西伯利亚高压影响，盛行偏北风，阴冷，气温低，但霜冻期短。华中地区丰富多样的气候资源，能够满足以种植水稻、油菜和柑橘等喜温作物为主体的农林牧渔业发展的需要。

一是热量资源丰富，无霜期长。光照温热条件适宜于多种粮食作物生长繁殖，使得华中地区历来是全国重要的农产品商品基地。充足的光热资源，气候温和，日照充足，降水充沛，为粮食发展奠定了良好的基础。其中湖北省所处气候带为农作物生产适应范围最广的亚热带季风区，因此几乎适合种植所有常见的粮食作物。二是雨热同季，降水充沛，适宜农作物的生长成熟。由于受季风气候的影响，华中五省气候的一个重要特点是降水量和气温随着季节变化同步变化，这种特点十分有利于农作物的生产。

（三）水资源丰富

华中地区水资源丰富，不仅有大量的河流水可用于灌溉，降水也比较充沛。华中地区有丰富的灌溉水源，包括流域面积在 100km^2 以上的河流，其中 1000km^2 和超过 5000km^2 的河流都较多。除大中小型水库多，水库容量大外，还有地下水资源。华中地区从南向北年降水量逐渐减少，部分地区容易形成干旱缺水或洪涝灾害，同时华中地区水系又较为发达，江湖关系非常复杂，这种地理状况对华中地区治水提出了非常高的要求。

表 2-6 反映了 2005～2019 年华中五省水资源总量及其占全国水资源总量的比例。可以看出，2005～2019 年，华中五省水资源总量呈现不断波动的趋势，先由 2005 年的 5301.31 亿 m^3 增加至 2016 年的 7902.60 亿 m^3，12 年间上升幅度达 49.07%；然后 2017～2018 年，华中五省水资源总量又有一定幅度的下降。2019 年，华中五省水资源总量占全国水资源总量的比例达到了 19.06%，说明华中五省的水资源比较丰富。

表 2-6 2005～2019 年华中五省水资源总量及其占全国水资源总量的比例

年份	华中五省水资源总量（亿 m^3）	全国水资源总量（亿 m^3）	华中五省占比（%）
2005	5 301.31	28 053.17	18.90
2010	6 757.10	30 906.20	21.86
2015	6 432.30	27 962.60	23.00
2016	7 902.60	32 466.40	24.34
2017	5 994.10	28 761.20	20.84
2018	4 563.20	27 462.50	16.62
2019	5 535.20	29 041.00	19.06

数据来源：2006～2020 年出版的中国统计年鉴

（四）劳动力资源丰富，但农业劳动力流失严重

华中五省的农业劳动力资源相对充足，农业劳动生产效率不断提高。农业劳动力是进行农业生产的主体，也是影响粮食生产稳定的重要因素之一。我国的粮食生产，特别是水稻种植工序复杂，需要依靠大量劳动力精耕细作。华中五省农村劳动力人口呈现逐年下降的趋势，由 2005 年的 17 647 万人下降到 2019 年的 9639.9 万人，15 年间农村劳动力人口下降了 45.37%。尽管华中五省的劳动力数量有所下降，但华中五省的粮食总产量却保持不断上升的趋势，说明农业劳动力的生产效率得到了提升。

二、隐性资源潜力

（一）财政资金投入持续增长

为了促进农业生产，华中五省投入了大量的资金来支持农业发展。资金是保障农业生产的重要投入之一，而农业财政支出是农业资金的重要来源之一。2007～2015 年，华中五省的农业财政支出呈现跨越式增长，由 2007 年的 654.21 亿元增加至 2015 年的 3436.45 亿元，9 年内增长了 4 倍多，说明农业发展得到了财政的大力支持。同期，华中五省农业财政支出在全国占比基本维持在 20%左右，占全国农业财政支出的 1/5 左右，说明政府非常重视和支持华中五省农业的发展。

（二）技术资源积累速度较快

1. 华中地区农业机械化水平

华中五省的农业机械化水平较高，有利于促进现代化农业的发展。农用机械是农业生产基础设施建设的重要组成部分，也是农业技术的重要实现方式。2005～2019 年，华中五省的农业机械总动力总体呈现增加的趋势，由 2005 年的 14 147.65 万 kW 增长至 2019 年的 25 220.70 万 kW，15 年间增长了 78.27%（表 2-7）。同时，近几年华中五省农业机械总动力占全国农业机械总动力的比例已经稳定在 25%左右。在这 15 年间，华中五省的农用大中型拖拉机增长迅猛，由 2005 年的 17.58 万台增长至 2019 年的 74.40 万台，增长了 3 倍多，但华中五省农用大中型拖拉机数量在全国占比相对较低，2019 年占

比仅为 17%左右。

表 2-7　2005～2019 年华中五省农业机械总动力及其占全国农业机械总动力的比例

年份	华中五省农业机械总动力（万 kW）	全国农业机械总动力（万 kW）	华中五省占比（%）
2005	14 147.65	68 397.85	20.68
2010	21 174.66	92 780.47	22.82
2015	24 029.48	111 728.07	21.51
2016	24 261.00	97 245.60	24.95
2017	24 203.80	98 783.30	24.50
2018	24 706.70	100 371.70	24.62
2019	25 220.70	102 758.30	24.54

数据来源：2006～2020 年出版的中国统计年鉴

2. 华中地区农业技术推广

农业技术对农业生产效率的提高有显著的推动作用，华中五省都着力加强农业科技的推广应用。2016 年湖北省以 54 项农业主推技术为重点，累计推广新技术、新模式 4130 万亩[①]，全年农业科技进步贡献率达到 60%以上，实现节本增效 80 亿元。近年来，湖南省农业科技水平持续提高，2014 年农业科技进步贡献率达到 60%，比全国高 4.4 个百分点。江苏省着重发挥农业高校、科研院所、推广单位众多的优势，凝聚科技专家力量，2016 年全省农业科技进步贡献率再创新高，达到 67%，比全国平均贡献率高 11 个百分点。安徽省不断加快科技兴农步伐，农业科技支撑力进一步增强，2015 年农业科技进步贡献率提高到 60%，高于全国近 4 个百分点。江西省实施 10 个左右农业科技重大专项项目，建设 10 个省级农业科技创新平台，全省农业科技进步贡献率达 52%。

（三）国家和地方农业政策支持力度越来越大

党和国家一直对农业、农村和农民工作高度重视，出台了一系列利民惠民和帮扶“三农”发展的政策。2004 年开始增加各种农业补贴，2005 年开始全面减免农业税，2006 年开始实施农业保险，2007 年开始推进社会主义新农村建设。进入 21 世纪以来连续出台了多个中央一号文件来关注“三农”，促进现代农业发展。在认真贯彻执行党中央各项支农惠农政策，不断加大支持“三农”力度后，农业生产活力得到进一步激发。华中地区粮食连续几年大丰收。经过多年建设，粮食生产能力稳定提高，农产品品类十分丰富，不仅有粮食产量处于全国前列的总量优势，更有质量特色。2012 年《国务院关于大力实施促进中部地区崛起战略的若干意见》（国发〔2012〕43 号）中提出：“毫不松懈抓好粮食生产，结合实施全国新增 1000 亿斤粮食生产能力规划，稳定粮食播种面积，充分挖掘增产潜力”。“十三五”规划为各省的农业发展指明了方向，华中五省也按照各自的省情制定了相应的农业政策。

① 1 亩≈666.67m^2，后同。

第三节 华中地区食物安全面临的问题

一、国际化方面的问题

为了分析华中地区食物安全存在的问题，本课题搜集了大量的统计资料，同时，展开了大量田野调查。2016 年 7～8 月、2016 年 10 月、2017 年 1～2 月由华中农业大学经济管理学院牵头，联合江西农业大学、江西省农业科学院、安徽农业大学、安徽省农业科学院、南京农业大学、湖南农业大学共同组织师生完成，发放近 4500 份问卷，收回有效问卷 3021 份。按调查内容统计的问卷分布情况见表 2-8。

表 2-8 调查问卷分布

地区	调查问卷（份）							
	水稻	小麦与赤霉病	水果（柑橘）	鱼类养殖	耕地重金属污染	良田建设	新型经营主体	总计
湖北	379	79	26	41	37	81	71	714
湖南	142	74	27	41	46	97	50	477
江西	257	87	120	133	100	104	71	872
安徽	191	80	5	31	34	35	28	404
江苏	233	71	7	36	87	85	35	554
总计	1202	391	185	282	304	402	255	3021

（一）华中地区粮食进口量不断增加

中国是粮食进口大国，基于经济和人口发展需要，粮食缺口将不断扩大。2010～2015 年，随着粮食需求的变化和供给的波动，华中地区粮食进口总量呈上升趋势，从 2010 年的 985.49 万 t 上涨至 2015 年的 1798.21 万 t（图 2-1）。另外，各粮食品种的进口状态也都发生了不同的变化，除小麦外，其他粮食品种如稻谷、大豆大体上呈递增的趋势。

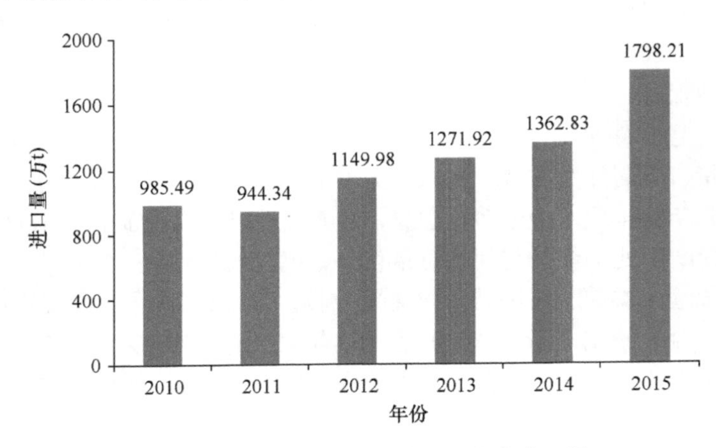

图 2-1 2010～2015 年华中地区粮食进口量

华中地区主要进口的粮食产品是大豆。2000 年以来，华中地区大豆进口量远远大于出口量。2011～2015 年，华中地区大豆进口量大体上呈逐年递增趋势（表 2-9）。从 2011 年的 920.10 万 t 上涨至 2015 年的 1660.03 万 t。华中五省中，江苏省的大豆产品进口量相对较多，且大豆进口量呈不断上升的趋势，2015 年江苏省大豆产品进口量已高达 1539.05 万 t。华中地区大豆产品进口的主要来源国为美国、阿根廷和巴西。

表 2-9　2011～2015 年华中地区大豆产品进口量

年份	进口量（万 t）					
	江苏	安徽	江西	湖北	湖南	合计
2011	846.74	13.37	16.99	37.50	5.50	920.10
2012	941.54	27.88	12.61	41.65	11.89	1035.57
2013	1126.17	7.85	5.91	16.91	15.69	1172.53
2014	1266.68	0.41	0.79	6.36	7.64	1281.88
2015	1539.05	37.60	20.98	61.62	0.78	1660.03

数据来源：国家统计局、国家粮食局（现国家粮食和物资储备局）

（二）华中地区粮食出口量不断下降

2001 年加入世界贸易组织以来，我国农产品出口贸易面临机遇与挑战，我国政府一直积极地扶持农业生产和贸易，帮助提高农产品质量，调整农产品贸易结构，促进我国农产品出口的发展。2010～2015 年，华中地区粮食的出口量总体呈下降趋势，从 2010 年的 13.12 万 t 减至 2015 年的 2.13 万 t（图 2-2）。与此同时，各粮食品种的出口状态都发生了不同的变化，其中大米产品的出口量一直呈下降趋势。

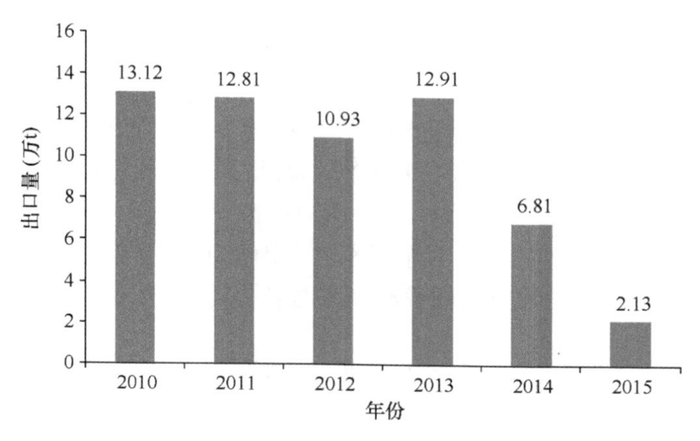

图 2-2　2010～2015 年华中地区粮食出口量

（三）华中地区粮食生产成本不断提高，国际竞争力下降

当前，国际低粮价的“天花板”和我国粮食生产成本“地板”抬升的挤压效应十分明显。以中籼稻为例，根据《全国农产品成本收益资料汇编 2018》公布的数据，2017 年华中五省平均每亩中籼稻产值 1441.73 元，但每亩总成本就高达 1124.99 元，每亩仅可获得利润 316.74 元。换言之，农户出售每千克稻谷的价格是 2.58 元，但每千克稻谷

的生产成本就达到了 2.03 元。在总成本中，物质与服务费用、人工成本占比高，其中，物质与服务费用达 513.76 元/亩，人工成本达 390.47 元/亩。在物质与服务费用中，化肥和机械作业费是主要的费用支出，分别达 120.88 元/亩和 173.14 元/亩。此外，每天劳动用工成本已高达 135.98 元/工，是推动人工成本上涨最重要的因素之一。

二、绿色化方面的问题

（一）化肥与农药利用率低

近年来，华中地区为保证粮食的稳产增产，不断加大对化肥农药的施用量。与此同时，华中地区测土配方施肥技术推广覆盖率未达到 90%以上、化肥利用率未达到 40%，化肥农药施用量也未实现零增长。2019 年华中地区化肥的施用量达到 1202.7 万 t、农药使用量达到 42.1 万 t、农用塑料薄膜使用量达到 41.3 万 t。而化肥、农药的大量或者过量使用会造成土壤板结、肥力下降，耕地质量整体下降，土壤的结构和性质也会出现很大程度的改变，高产田逐年减少，中低产田不断增加。

化肥、农药等的有效使用对于提高粮食产量来说具有很大的推动作用，但同时也带来一定的负面作用。过量使用化肥极易使庄稼倒伏，而一旦出现倒伏，就必然导致粮食减产，威胁华中地区的粮食安全；过量使用化肥还会使庄稼抗病虫害能力减弱，一旦遭病虫侵染，就会增加防虫害的农药用量，直接威胁食品安全。另外，由于农田大量使用单元素化肥，导致其养分不能被作物有效地吸收利用。超量使用化肥会使果蔬品质低劣，并且容易腐烂，不宜存放。

（二）化肥与农药导致水体污染

华中地区的农业污染比较严重，且污染治理设施建设不到位。《第一次全国污染源普查公报》显示，华中地区的农业污染源有 74.37 万个，占全国农业污染源的 25.65%。其中，江苏省的农业污染源最多（25.69 万个），湖北省的农业污染源次之（19.52 万个），湖南省的农业污染源相比湖北省要少一些，有 14.60 万个（表 2-10）。与此同时，华中地区集中式污染治理设施只有 0.11 万个，不到全国集中式污染治理设施的 1/4。因此，华中地区还需要建设大量的污染治理设施来应对各类污染源。

表 2-10　华中地区污染源　（单位：万个）

地区	工业污染源	农业污染源	生活污染源	集中式污染治理设施	合计
江苏	18.54	25.69	7.83	0.04	52.10
安徽	4.25	9.69	6.33	0.03	20.30
江西	2.86	4.86	3.67	0.01	11.41
湖北	2.75	19.52	4.61	0.01	26.90
湖南	3.87	14.60	4.58	0.02	23.06
华中五省	32.27	74.37	27.02	0.11	133.77
全国	157.55	289.96	144.56	0.48	592.56

数据来源：《第一次全国污染源普查公报》（中华人民共和国环境保护部等，2010）

（三）畜牧养殖业抗生素滥用问题

抗生素（antibiotics）是对细菌、病毒、寄生虫等具有抑制和杀灭作用的一类药物的总称。养殖业生产中，抗生素使用有两个途径：一是作为饲料添加物，用于促进畜禽生长发育，目的是提高饲料利用率，降低养殖成本。有研究表明，在饲料中添加抗生素能明显提高肉鸡的日增重；二是养殖中用来预防和治疗畜禽疫病。由于我国对养殖生产滥用抗生素的监管制度尚未完善，出现养殖环节大量使用、甚至滥用抗生素的情况，严重危害养殖业生产健康发展和畜禽产品安全。随着抗生素在我国养殖业生产中的广泛应用，药物残留、细菌抗药性等一系列问题日益突出（王云鹏和马越，2008）。现阶段人们对抗生素的研究和应用越来越广泛，先后有 60 余种抗生素应用于畜牧业，在防治动物疾病、提高饲料利用率、促进畜禽生长等方面发挥了重要作用。但随着抗生素的大量使用，特别是滥用，细菌耐药性和药物残留等问题日益突出，引起世界各国政府及业内人士的高度重视（陈敬雄和岳建群，2013）。

三、可持续发展面临的问题

华中地区是我国粮食主产区集中分布区域，在全国粮食生产中占有举足轻重的地位。本书研究的华中 5 省是我国粮食总产量高、人均占有粮食多、自给能力强、净调出量大的省份。全国 498 个粮食生产大县主要分布在华中地区。当前，华中粮食主产区农业可持续发展既面临着生态问题突出、农民收入增长趋缓、农业生产率下降等一般性问题，又受自然资源环境、区域经济发展水平等因素制约。华中地区面临的可持续发展问题主要表现在以下 9 个方面。

（一）水资源分布时空不均，污染问题突出

华中地区水资源分布不平衡，有些省份水资源充足，有些省份水资源短缺严重，导致干旱灾害频发，粮食增产面临水资源短缺的困扰。华中地区水生态环境问题十分突出，尤其是水资源污染问题。现阶段，华中地区出现了废污水排放量严重、水功能区超标、水资源开发利用率高、河湖湿地严重萎缩并且地下水位持续下降的问题。以湖北省为例，尽管湖北有“千湖之省”的美誉，在水资源的总量上位居全国前列，但水资源短缺仍然严峻，使得湖北确保粮食“稳产高产”的压力逐年增加。水资源短缺问题首先表现为水资源分布不均，如鄂北岗地“旱包子”，江汉平原“水袋子”的总体格局在短期内无法得到有效解决，甚至鄂北岗地部分地区生活用水都出现了一定程度的紧张。

调查中发现的另外一个突出问题是农村水利设施年久失修普遍。水乡地区水稻没有灌溉用水，干旱严重。一是水利设施的问题（电排站、沟港渠年久失修），二是千家万户带来的管理问题（用水顺序、水费收缴、用水浪费）。还有近年来投入水利建设的经费使用不善；水利建设工程管理混乱，质量很差，有的甚至是面子工程，农民得到实惠少。

（二）耕地质量有下降的风险

耕地少。随着近几年城镇化进程地加快，房地产用地和企业用地不断扩张，耕地一

再受到侵占，18 亿亩耕地红线难以守住。华中地区耕地减少的问题也是如此。华中地区耕地面积下降也是一个不可避免的趋势，开发区、高速铁路建设可能都要占用耕地，导致耕地对粮食生产的制约更加突出，粮食增产的难度将越来越大。华中地区耕地后备资源十分有限，这种以依靠开发后备资源来补充建设占用耕地的模式不可行。

2015 年湖南省农产品产地土壤重金属污染普查结果显示，许多农户和村干部反映耕地有机质含量减少，板结化严重，污染问题突出。湖南省农产品产地土壤重金属污染以镉污染为主，点位超标率为 67.9%，其次是砷（砷在化学研究中不是重金属元素，但在环境分析中常与重金属元素一起作为分析对象，在本书中也将之与重金属元素一同进行分析）和汞污染，点位超标率分别为 6.4%和 5.1%；土壤呈强酸性（pH＜5.5）的点位率为 50.6%。

（三）劳动力数量和质量下滑，种植意愿偏低

随着大量劳动力向城市转移，华中地区农村劳动力逐渐减少的状况正日益突出。2005～2019 年，华中地区的乡村人口由 17 647 万人减少至 12 443 万人，华中地区的城镇人口由 12 408 万人增加至 19 504 万人，农村劳动力流失导致的农村空心化趋势日趋严重。留守劳动力大多是 50 岁以上、女性和文化水平相对较低的农民，劳动力素质也出现明显下滑。

另外，农民的种植意愿发生改变。在市场经济条件下，农民种粮的积极性主要来源于收益的刺激。在相应的时间内，如果农民的利益期望得不到满足，或者投入与产出不成合理的比例，种植的收益不高，农民必然会减少或者放弃粮食生产，调整生产要素和生产结构的投入取向。由于种粮收益低且需要投入大量的时间和精力，而种植经济作物或者其他作物的收益要高于甚至远远高于种植粮食作物的收益。因此，农民往往更乐意种植更多的经济作物或其他作物，而对种植粮食作物的热情自然降低，对种植粮食作物的投入也会不够重视，部分农民甚至根本不愿意种植粮食作物，在收益的驱动下农民的种植意愿发生了改变。

经过对华中地区水稻种植户调查数据分析可以发现，绝大部分农户（91.61%）没有扩大粮食种植面积的意愿。尽管农户普遍对水稻种植收入不满意，但 62.04%的农户仍选择保持种植规模不变，只有 18.08%的农户选择缩小种植规模，选择完全放弃生产的农户比例则非常小，仅为 11.49%（图 2-3）。在与农户交流的过程中，我们发现大部分

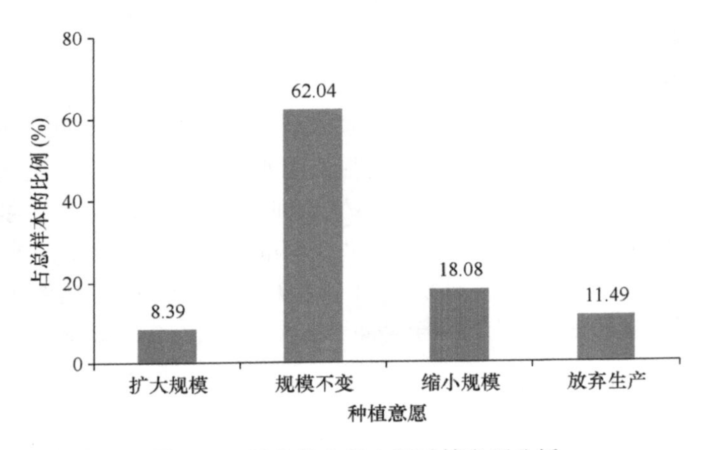

图 2-3 一般种植户的水稻种植意愿分析

农户不完全放弃水稻种植的主要原因是保口粮、不能让地荒了、也不知道去干什么。这反映了农田耕作是我国广大农户的“基因”。但需要注意的是，受访者都是在家从事农田耕作的农户，普遍年龄偏大，外出务工倾向较低。而且，缩小种植规模和完全放弃生产的农户比例仍然达到了29.57%，未来谁来种粮是一个很严峻的问题。

（四）从事农业生产的资本投入不断增加

近几年来，尽管国家相继出台了免征农业税、良种补助、最低保护价收购粮食等惠农增收政策，在很大程度上调动了农民的种粮积极性，但是一路高升的农资市场价格依旧给农民带来了沉重的经济负担，尽管粮食的产量不断提高，但农民从事农业生产的支出不断增加，种植粮食作物的资本投入持续增加。

对于放弃生产或缩小水稻种植规模的原因调查，我们给出了7项原因，包括土地不适合种粮、水利等基础设施差、自然灾害带来的损失增加、生产成本上升、劳动力不足、外出务工收入更高、种粮比较收益低。总的来看，种粮比较收益低与外出务工收入更高得分最高（图2-4）。种粮比较收益低是我国主粮生产的一大问题，农户对这一点认同度非常高，如小麦种植户对收入的满意程度较低（图2-5）。值得注意的是，在目前实体经

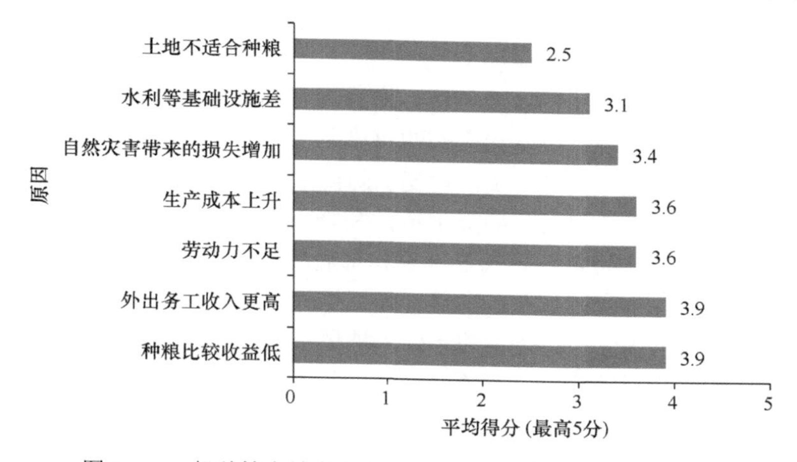

图2-4 一般种植户放弃生产或缩小水稻种植规模的原因分析

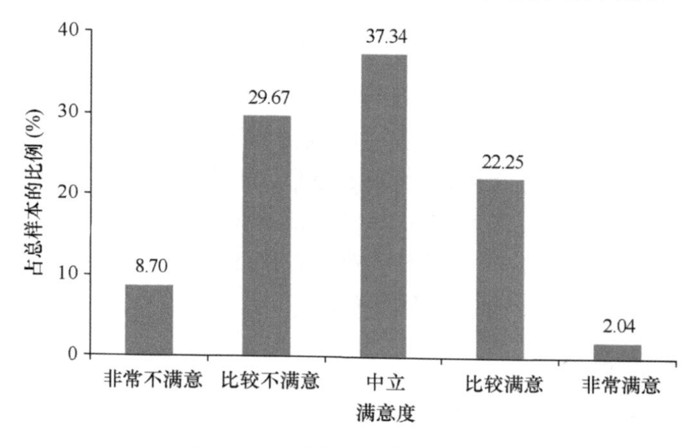

图2-5 小麦种植户收入满意度

济发展不利的情况下，外出务工收入更高仍然吸引着大量的农户放弃或缩小水稻生产，而选择外出务工。如何提高农业生产的收益，成为维持与发展农业的首要问题。劳动力不足与生产成本上升的得分相对较高，也反映了目前农业生产的一些现实问题：越来越多的青壮年劳动力外出务工，种子、化肥、雇工等生产成本大幅上涨。图 2-4 也表明土地不适合种粮、水利等基础设施差得分较低，反映了华中五省的水稻生产自然环境与基础设施普遍不错。

（五）自然灾害频发

华中地区自然灾害频发。由于抗灾减灾能力弱，华中地区粮食生产受自然灾害的影响较大。自然灾害不断威胁人们的生命财产安全，也直接造成农作物，尤其是粮食种植、收获面积的减少。因此，自然灾害问题会影响华中地区粮食总产量。华中地区极端天气的不确定性增加。近几年，华中地区气候的不确定性增加，给粮食生产也带来了不确定性。2003 年、2005 年、2008 年和 2010 年华中五省粮食受灾严重，受灾面积分别为 1427.41 万 hm^2、1064.5 万 hm^2、1265.68 万 hm^2 和 978.20 万 hm^2。随着全球气候变暖，气候对华中地区粮食生产的影响越来越大。低温冰冻既会使部分粮食作物绝收，也会冻伤幼嫩的粮食禾苗；洪涝、干旱、冰雹、台风等灾害性天气使部分地方粮食播种和收获面积下降，其单产不同程度地下降。

针对华中地区小麦赤霉病的调查发现，赤霉病有逐渐向北迁移扩散的势头。受全球气候变暖、厄尔尼诺的影响，小麦赤霉病的侵染范围还会进一步扩大。小麦赤霉病在华中地区由江苏和安徽北部向河北、山西蔓延。阴雨潮湿的气候是小麦赤霉病暴发的主要原因。小麦赤霉病暴发与抽穗扬花期降雨日数和降雨量、田间相对湿度等因素有直接关系；72.55%的被调查者认为阴雨天气是小麦赤霉病暴发的首要原因。仓储、加工环节的赤霉病侵染不容忽视。小麦在收获、存储、加工过程中如果未经充分干燥就会导致湿度过高，为赤霉病菌提供了生长、传染的条件；被调查农户中，51.68%的农户反映缺乏晾晒场所，57.67%的农户反映仓储管理不当，这些原因都会加剧赤霉病的传染。另外，调查发现，赤霉病灾情的统防统治存在困难。由于品种差异、生育期差异，在赤霉病防治过程中组织各类农业经营主体之间进行统防统治存在较大困难；61.71%的农户反映实现统防统治能提升赤霉病防治效果。农户缺乏科学施药的知识也是统防统治存在困难的一个重要原因。农户对于药剂的抗性及作用机理的互补，混合用药或交替用药的认知存在不足；67.08%的农户认为科学施药技术有效，而且需要得到培训指导；55.04%的农户反映新型高效药械有效，而且表现出较强的需求。

针对柑橘的调查发现，近年来，受气候变暖、柑橘木虱虫口激增等因素影响，柑橘产区（特别是江西省）黄龙病发生加重；41.3%的种植户较常遭受黄龙病病害（图 2-6）。目前，种植及病虫害防治技术培训仍无法满足农户的需求。调查中，59.8%的种植户非常需要政府提供种植和病虫害防治技术的培训。

（六）农业机械化发展弱

农业机械化发展弱，表现在以下方面。一是农业机械普及率较低。在耕整、播种和收获环节机械化快速普及的背景下，水稻机插率增长缓慢，移栽已成为水稻生产机械化

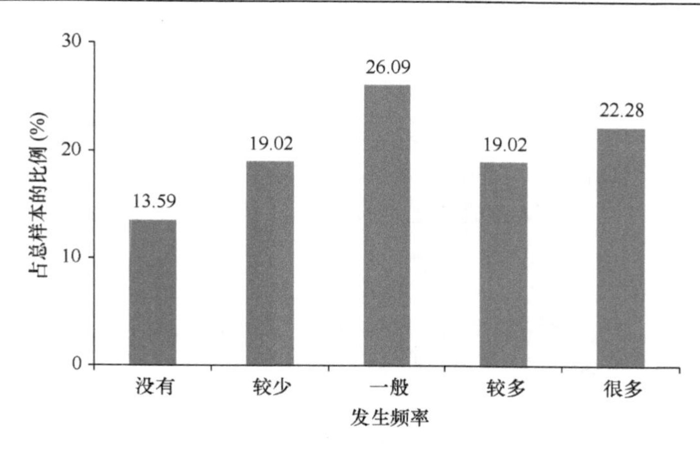

图 2-6　农户反映的黄龙病发生频率分析

最薄弱的环节。根据《中国农业机械工业年鉴 2019》公布的数据，2018 年全国机插率仅为 48%。烘干机、收割机只有大户才会购买。更重要的是，华中地区很大面积耕地属于丘陵和山区地形，大型农业机械的推广受到极大限制。二是现有机械不适合当地实际情况。例如，在江西省南昌县，抓式插秧机导致水稻返青慢，不利于双季稻种植；拖拉机耕田和收割机都是大型轮式机械，会严重破坏田地的耕种层；大型机械不利于小块水田、丘陵地带崎岖地形耕地的耕作。三是农业机械没有一条龙配套。有种、收的机械，但是烘干、晾晒、储备、加工的机械落后，种粮大户对这一情况反映强烈。

（七）粮食储备体制运转不畅

在江西省吉安市和南昌县以及湖南省长沙市的调查中发现卖粮与收粮的矛盾。一方面，农户无法以托市价将粮食卖给粮站，只能低价卖给粮贩；另一方面，粮站也不愿意收农户的粮食，因为烘干不足、品质无法保障。

粮库仓储成本过高，粮库难以持续，如中央储备粮吉安直属库仓储容量为 3.5 万 t，每年每吨实际保管费用在 132 元左右，每吨轮换费用为 170 元，每吨粮食亏损超过 200 元。另外也存在其他问题，如南方仓储粮食容易霉变；仓储技术老旧，维护更新成本高；缺乏专业人才。

在江苏省的调查发现，种粮大户储粮受到政策限制。种粮大户在水稻收割季节粮食收割量巨大，需要及时翻晒、晾干，否则遭遇雨水天气损失巨大。但是现有政策不允许他们在耕地附近修建仓储，他们只能运到较远距离处翻晒，这增加了运输成本和风险。

（八）良田建设存在技术推广较为滞后和生态效益还远未得到发挥等问题

先进、科学的农田建设技术的推广和应用是建设高标准农田的技术基础。然而，目前，华中地区很多地方政府对于先进的农田技术宣传不够，使得农民没有掌握建设农田的技巧，技术人员只是简单讲解先进技术的理论知识，并没有与当地的实际情况结合在一起，降低了技术的实用性。根据课题组的调查，40.15%的农户表示缺乏专家指导是导致良田建设没有发挥效用的重要原因。同时，大部分农民的文化程度不高，理解复杂的技术也比较困难。根据调查，76.96%的农民表示不知道该怎么进行良田建设。

目前对农村耕地建设主要是针对耕地整理、耕地复垦、土地开发。在这一过程中，一些地区忽视原始自然环境而进行高标准农田建设，反而破坏了生态环境和生态系统循环功能，造成土壤盐碱化、土壤质量退化等生态问题，生物多样性也遭到损害，不利于当地的可持续发展。根据调查，38.78%的农民认为良田建设政策没有考虑当地的实际情况，整治后没有见到效果，反而造成土地抛荒，以及高坡地平整破坏耕作层等问题。

（九）种子产业发展弱

华中地区水稻品种市场呈现“多、杂、乱”现象，这一问题在湖南省尤为突出。目前，国内生产上推广的杂交稻品种繁多，且分别属于不同的种子公司。新品种数量过多、缺乏规划，经销商控制市场力度大，真正的良种难以脱颖而出。这一乱象导致国内产出的稻谷无法和泰国等的高端水稻竞争，而国内消费者迫切需要的营养好、口感好的稻谷供给量偏少。

另外，由于品种市场杂乱，农民在水稻品种的选择上存在困难，这一问题在江西省尤为突出。缺乏标准性、权威性品种种子，让农民无所适从、无法选择。多数品种重“量”（产量）不重“质”（口感、营养），农民对这些品种的选择积极性低，因此不少农民倾向于自留种子。

第三章　华中地区食物安全情况调查

第一节　华中地区水稻种植情况调查

一、调查设计

（一）调查方案

由华中农业大学经济管理学院牵头，联合江西农业大学、江西省农业科学院、安徽农业大学、安徽省农业科学院、南京农业大学、湖南农业大学共同组织师生对江苏、安徽、江西、湖北、湖南5省水稻种植相关经济主体展开了问卷调查和深度访谈。调查问卷主要面向水稻种植农户，从家庭基本信息、粮食生产基本情况、主粮种植及其质量安全风险意识、扩大主粮种植规模的意愿、知识与技术采纳意愿等方面全面了解农户水稻生产情况。总共发放1400份调查问卷，收回有效问卷1202份。

深度访谈主要面向农业主管部门干部、科研院所农业技术和农业经济领域专家、农业企业高层管理人员、农资经营者、农户。访谈的主要内容包括：①主要农产品（主粮、蔬果、水产品）生产的优势与劣势；②当地土地资源变化趋势；③当地水资源变化趋势；④当地农产品（主粮、蔬果、水产品）优良品种研究与推广现状；⑤当地新生产技术（如杂交、无土栽培、轻简化栽培）的应用；⑥当地农产品生产技术装备发展水平；⑦家庭农场、农民专业合作社、企业+农户等生产组织形式在当地的发展现状；⑧频发的自然灾害对食物生产的影响；⑨当地农民的技术知识水平及其对食物生产的影响；⑩保证所在地区以及中部地区的粮食安全的建议。共形成文字记录8万字。

（二）调查地点选择与调查对象基本情况

课题组在湖北省选取英山县和沙洋县为调查点，在湖南省选取长沙市、湘潭市为调查点，在江西省选取吉安市和南昌县为调查点，在安徽省选取庐江县为调查点，在江苏省选取南京市为调查点。其中，在湖北省获取调查问卷379份，在湖南省获取调查问卷142份，在江西省获取调查问卷257份，在安徽省获取调查问卷191份，在江苏省获取调查问卷233份（表3-1）。深度访谈58人次，其中湖北10人次，湖南14人次，江西17人次，安徽11人次，江苏6人次；农业主管部门干部21人次，农业技术和农业经济领域专家15人次，农业企业高层管理人员8人次，农资经营者2人次，农户12人次。

二、调查结果分析

（一）社会人口特征分析

在本次调研中一般种植户样本数为1010个（样本省份来源详见表3-2），其中来自

表 3-1　华中地区农户调查问卷和访谈对象数量

地区	农户问卷数量（份）	访谈对象数量（人次）					
		农业主管部门干部	农业技术和农业经济领域专家	农业企业高层管理人员	农资经营者	农户	合计
湖北	379	3	0	1	1	5	10
湖南	142	5	5	3	0	1	14
江西	257	3	7	4	1	2	17
安徽	191	7	0	0	0	4	11
江苏	233	3	3	0	0	0	6
总计	1202	21	15	8	2	12	58

湖北的样本最多（329 个），占总样本数的比例为 32.57%，来自湖南的样本最少（103 个），占总样本数的比例为 10.20%。

表 3-2　一般种植户的省份来源

地区	样本数（个）	占比（%）
湖北	329	32.57
湖南	103	10.20
江西	227	22.48
安徽	149	14.75
江苏	202	20.00
总计	1010	100.00

一般种植户的基本信息见表 3-3。本次调研的样本主要是男性农户，总共 750 个，说明当前的主粮种植主要还是由男性农民完成。样本平均年龄为 51.29 岁，说明当前种植主粮的农民年龄偏大。平均家庭人口数量为 4.92 人。相对收入水平年均为 2.62 万元，表明当前从事主粮种植的一般农户家庭收入都偏低。平均耕地面积为 7.11 亩，主粮种植面积仅为 5.86 亩。

表 3-3　一般种植户的基本信息

地区	男性样本数（个）	平均年龄（岁）	家庭人口数（人）	年均收入水平（万元）	耕地面积（亩）	种植规模（亩）
湖北	254	52.28	4.83	2.52	7.48	6.71
湖南	70	57.78	4.57	2.75	7.50	6.73
江西	196	48.91	5.37	2.51	6.37	4.82
安徽	96	51.50	5.34	2.76	7.53	6.89
江苏	134	49.33	4.37	2.80	6.96	4.56

（二）水稻种植收入满意度

图 3-1 显示了一般农户对水稻种植收入的满意程度。通过分析发现，对水稻种植收入感到满意（包含比较满意和非常满意）的农民仅占调查对象的 22.19%，不满意（包含比较不满意和非常不满意）的农民占调查对象的 46.11%。总体而言，进行水稻种植的一般

农民对其农业收入的满意度较低，这反映了我国农业从业人员收入较低的现实，一定程度上能够解释农民竞相进城务工而农村出现大量抛荒地的现象。这样的结果引起了我们对农户继续种植水稻意愿会偏低的担忧。

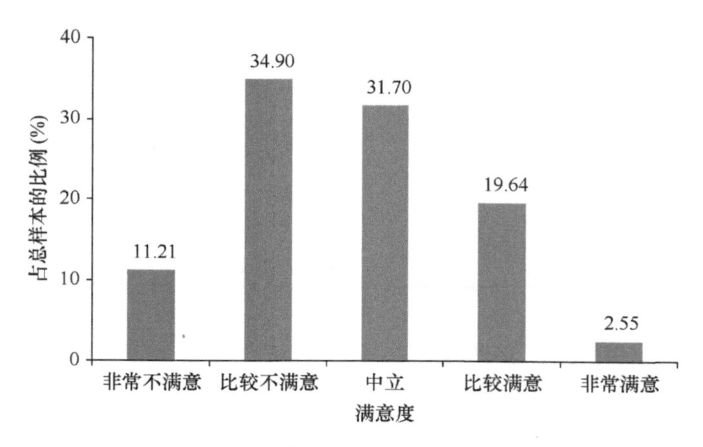

图 3-1　一般种植户水稻种植收入满意度

（三）水稻种植意愿及其影响因素

课题组向农户提供了 5 个选项，包括规模大能降低成本、预期粮价会上涨、规模大更能得到政府支持、其他产业就业机会减少、降低经营风险。总的来看（图 3-2），规模大更能得到政府支持是农户愿意扩大种植规模的最主要原因。这与我国目前的农业扶持政策有关，也说明政府的政策导向对农户的种植选择有着巨大的影响。规模大能降低成本是农户愿意扩大种植规模的次要原因，这与目前农业发展现状相符。农业科技特别是农业机械的应用，使得农户有能力应对更大规模的生产劳动。而且，土地流转也为农户扩大种植规模提供了政策支持。与我们预想的不一致的是，其他产业就业机会减少对农户继续扩大种植规模的影响最小。虽然实体经济不景气，大量农民工不得不返乡，但这并没有让更多的农民愿意从事农业生产。

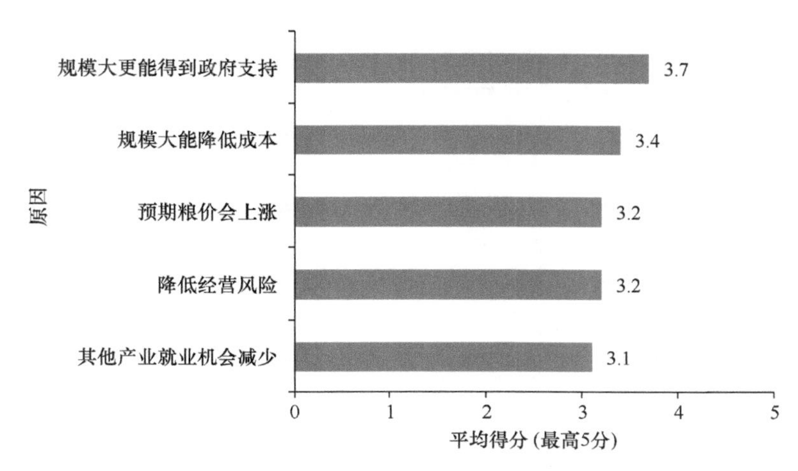

图 3-2　一般种植户愿意扩大水稻种植规模的原因

再将数据进行分省分析（表 3-4），可以发现，五个省份农民缩小种植规模或放弃生产的原因基本一致，排名前二的原因基本上都是外出务工收入更高和种粮比较收益低。表明，影响缩小种植规模意愿的主要是经济因素的考量，在华中地区存在共性。

表 3-4 一般种植户缩小种植规模或放弃生产的原因（各省情况）

地区	原因 1	原因 2	原因 3
湖北	外出务工收入更高	劳动力不足	种粮比较收益低
湖南	外出务工收入更高	种粮比较收益低	土地不适合种粮
江西	种粮比较收益低	外出务工收入更高	劳动力不足
安徽	种粮比较收益低	外出务工收入更高	生产成本上升
江苏	外出务工收入更高	水利等基础设施差	种粮比较收益低

（四）水稻种植面临的风险与规避风险的途径

课题组列出了 10 项水稻种植的主要风险，包括土地随时会收回、运输流通、固定投资、省外粮食供应的影响、耕种技术、灌溉条件、市场供求变化、价格波动、病虫害、旱涝等极端天气，囊括了水稻生产的整个过程。在这 10 项风险当中，得分较高的是旱涝等极端天气和病虫害（图 3-3）。近些年来，极端天气频繁出现，如 2016 年暑期出现的洪灾，给华中五省的水稻生产造成了巨大损失，而且旱灾、雪灾等也频繁出现，农户确实对此心有余悸。南方水稻病虫害种类繁多，其中以“三病三害”（稻瘟病、纹枯病、细条病，水稻螟虫、稻纵卷叶螟、稻飞虱）发生面积大、危害中等，一般年份可造成水稻产量损失 10%左右，严重年份可达 20%，部分甚至无收。而农民的技术和知识水平相对较低，难以选择合适的防治方式进行有效防治。价格波动与市场供求变化得分相对较高。这些年稻谷存在严重的难卖、价低的难题，使得水稻生产风险增加。耕种技术与灌溉条件得分居中，说明两者虽然具有一定的困难，但是对农户种植水稻的影响不是很大。而土地随时会收回得分最低，说明农民对国家土地政策的信心是很足的。

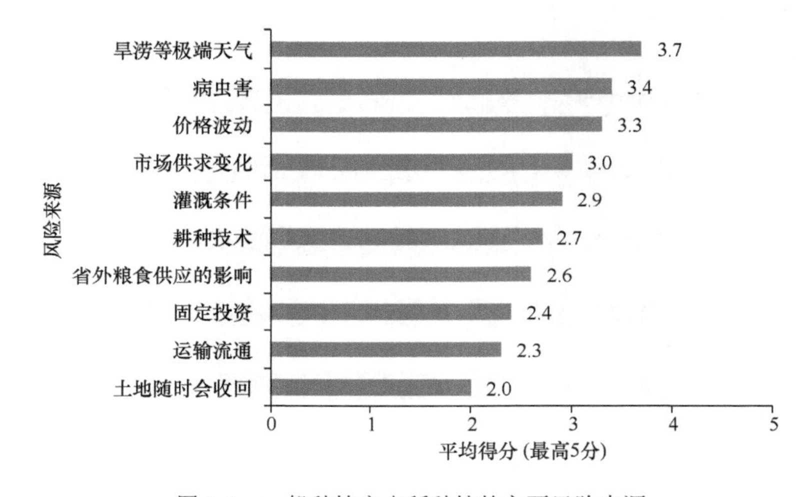

图 3-3 一般种植户水稻种植的主要风险来源

表 3-5 给出了各省水稻种植主要风险来源的具体情况。可以看出，五省农户基本上都认为水稻种植的前三风险来源是旱涝等极端天气、病虫害和价格波动，表现出高度一致。

表 3-5　一般种植户水稻种植的主要风险（各省情况）

地区	风险 1	风险 2	风险 3
湖北	旱涝等极端天气	病虫害	价格波动
湖南	旱涝等极端天气	价格波动	市场供求变化
江西	旱涝等极端天气	病虫害	价格波动
安徽	旱涝等极端天气	病虫害	价格波动
江苏	病虫害	价格波动	旱涝等极端天气

那么，一般种植户认为应该怎么应对水稻种植的风险呢？图 3-4 可以看出，一般种植户应对风险的主要方式，包括参加农业保险、参加农业合作组织、尽力了解市场信息、通过学习提高技术和知识水平、引进新品种、政府提供更好的政策保障。通过分析可以发现，一般农户并非通过自身改进来应对风险，更多的是依赖政府提供更好的政策保障以应对风险，这也反映我国农民弱质性的特点。农户对引进新品种的重要性有一定的认知。虽然我国政府一直在推动农业合作组织、农业保险以帮助弱势农民在市场中立足，但目前一般农户对此的认同度比较低。

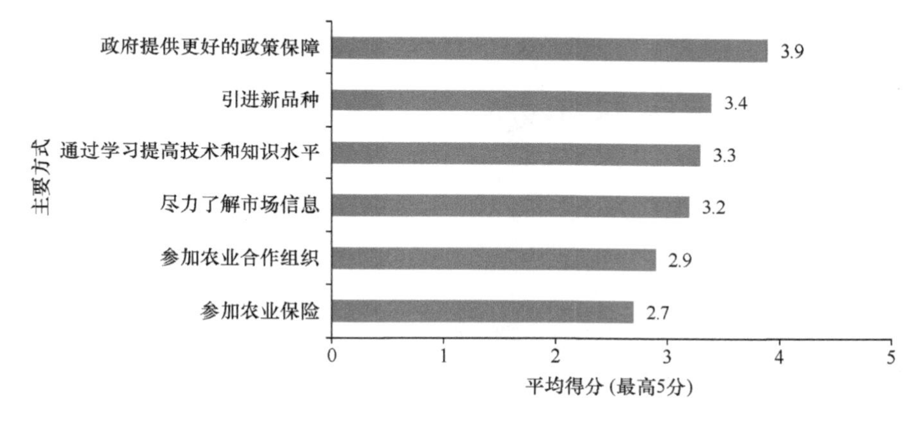

图 3-4　一般种植户应对风险的主要方式

从表 3-6 中可以看出，五个省份农民均认为政府提供更好的政策保障可以最有效地降低水稻种植的风险。其他得分较高的风险中，尽力了解市场信息、通过学习提高技术和知识水平、引进新品种也是比较有效地降低水稻种植风险的途径。

表 3-6　一般种植户降低水稻种植风险的主要途径（各省情况）

地区	风险 1	风险 2	风险 3
湖北	政府提供更好的政策保障	通过学习提高技术和知识水平	尽力了解市场信息
湖南	政府提供更好的政策保障	尽力了解市场信息	通过学习提高技术和知识水平
江西	政府提供更好的政策保障	尽力了解市场信息	引进新品种
安徽	政府提供更好的政策保障	引进新品种	通过学习提高技术和知识水平
江苏	政府提供更好的政策保障	引进新品种	通过学习提高技术和知识水平

（五）水稻种植面临的困难以及扩大生产需要政府解决的问题

图 3-5 显示了一般种植户水稻生产经营过程中面临的主要困难。通过分析可以发现，自然灾害、销售价格和水利设施是农户在从事水稻生产经营过程中的主要困难。表明农民在水稻的耕种中，面临着自然灾害严重、销售价格较低、水利设施破败的状况。农资采购和种子种苗方面的困难较小，反映了目前农资市场的流通情况不错。

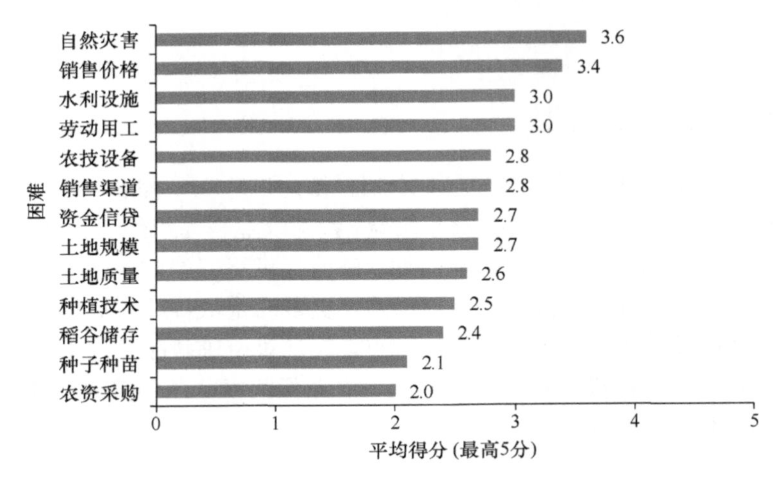

图 3-5　一般种植户水稻种植面临的主要困难

第二节　华中地区小麦种植与赤霉病防治情况调查

一、小麦种植情况调查

（一）调查样本的基本情况

我国粮食生产虽实现了“十二连增”，但粮食自给率却在下降，粮食生产结构也不断发生变化，粮食安全问题令人担忧。而小麦作为我国主要粮食作物之一，是关系粮食安全的重要作物，其生产经营情况需要着重关注。

本次调查对江苏、安徽、湖南、湖北、江西五省小麦种植相关经济主体展开了访谈和调查。其中，调查问卷主要面向小麦种植农户，从家庭基本信息、小麦生产基本情况、小麦种植及小麦质量安全风险意识、小麦种植规模的意愿、知识与技术采纳意愿、小麦赤霉病防治情况等方面全面了解农户小麦的生产情况。最后共收回有效问卷 391 份。

本次调研一般种植户样本为 391 个（样本省份来源详见表 3-7）。其中，湖北和江苏的样本数量较多，分别为 87 个和 80 个，分别占总样本数的 22.25%和 20.46%。安徽、湖南和江西的样本数略少，分别为 79 个（20.20%）、74 个（18.93%）和 71 个（18.16%）。

（二）调查样本对家庭总收入的满意度

大多数小麦种植户对家庭总收入的满意度为一般，占 50.4%。其次，对家庭总收入不满意的种植户占比位居第二，为 32.2%，而对家庭总收入非常不满意和满意的种植户较少，分别为 9.5%和 7.2%。最后，对家庭总收入感到非常满意的种植户最少，仅占 0.7%（表 3-8）。

表 3-7 小麦种植户的省份来源（各省情况）

地区	样本数（个）	占比（%）
安徽	79	20.20
湖南	74	18.93
湖北	87	22.25
江苏	80	20.46
江西	71	18.16
合计	391	100.00

表 3-8 被调查农户家庭总收入满意度分布情况

地区	计数					
	非常不满意	不满意	一般	满意	非常满意	合计
安徽	3（3.8%）	29（36.7%）	37（46.8%）	10（12.7%）	0（0.0%）	79（100%）
湖南	3（4.1%）	21（28.4%）	46（62.2%）	3（4.1%）	1（1.2%）	74（100%）
湖北	11（12.6%）	37（42.5%）	35（40.2%）	3（3.4%）	1（1.3%）	87（100%）
江苏	8（10.0%）	13（16.3%）	53（66.3%）	6（7.4%）	0（0.0%）	80（100%）
江西	12（16.9%）	26（36.6%）	26（36.6%）	6（8.5%）	1（1.4%）	71（100%）
总计	37（9.5%）	126（32.2%）	197（50.4%）	28（7.2%）	3（0.7%）	391（100%）

注：括号中数据为满意度计数占其相应省总满意度计数的比例

就各省情况而言，除湖北对家庭总收入的满意度为不满意的种植户人数最多（42.5%），江西对家庭总收入的满意度为不满意和一般的种植户人数最多（均为 36.6%）以外，安徽、湖南及江苏对家庭总收入的满意度为一般的种植户人数最多，省内占比分别为 46.8%、62.2%和 66.3%。此外，安徽、湖南、湖北、江苏和江西对家庭总收入的满意度为非常满意的种植户人数均为最少，省内占比分别为 0.0%、1.2%、1.3%、0.0%和 1.4%。

（三）小麦种植风险

总体而言，大部分小麦种植户认为小麦种植的风险不高。超过一半（51.92%）的小麦种植户认为小麦种植风险程度处于风险一般状态，占总样本数量的比例最高。其次，认为小麦种植风险程度为风险比较小的种植户比例位列第二，为 26.85%，其后比例较大的是认为小麦种植风险程度为风险比较大的种植户，为 15.86%。此外，认为小麦种植风险程度为风险非常小的种植户比例较小，位列第四，为 3.58%。而认为小麦种植风险程度为风险非常大的种植户比例最小，仅占 1.79%（图 3-6）。

（四）小麦种植面积规划

总体而言，大部分小麦种植户不愿意改变小麦种植面积，且只有较少的农户愿意扩

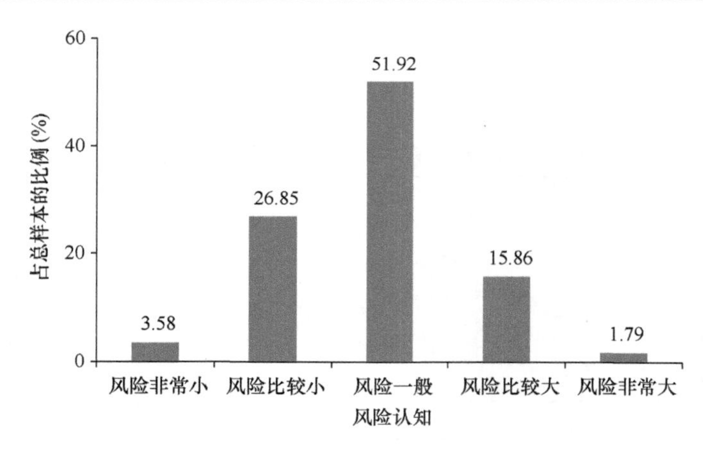

图 3-6　被调查农户小麦种植风险认知情况

大小麦种植面积。绝大多数的小麦种植户对近年小麦种植面积的规划持规模保持不变的态度，占总样本数的比例为 69.31%。其次，对近年小麦种植面积的规划持缩小规模态度的种植户较多，为 17.90%。此外，对近年小麦种植面积的规划持放弃生产态度的种植户占比排第三，为 7.67%。而仅有 5.12%的种植户对近年小麦种植面积的规划持扩大规模的态度，占比最低（图 3-7）。

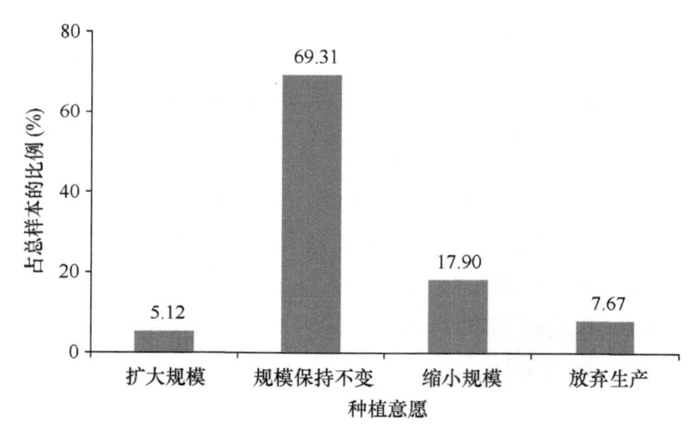

图 3-7　被调查农户小麦种植面积规划情况

（五）小麦生产经营过程中的主要困难

小麦生产经营中会遇到价格、销售、技术等方面的困难，我们选出 12 个小麦生产经营中的主要困难，并运用利克特量表来测量小麦种植户对小麦生产经营过程中所遇主要困难的感知程度，分为困难很小、困难较小、困难一般、困难较大和困难很大 5 个等级。数据录入时，为方便起见，将这 5 个等级分别计为 1 分、2 分、3 分、4 分、5 分，分值越大意味着困难越大。

调查结果表明，所列小麦生产经营过程中的主要困难的感知分数均值都在 3.5 分以下，且大多数的困难评分都高于 2.5 分（图 3-8）。这表明小麦种植户一般认为小麦生产过程中所遇问题的困难程度并不大，但还是需要引起重视，加以预防解决。

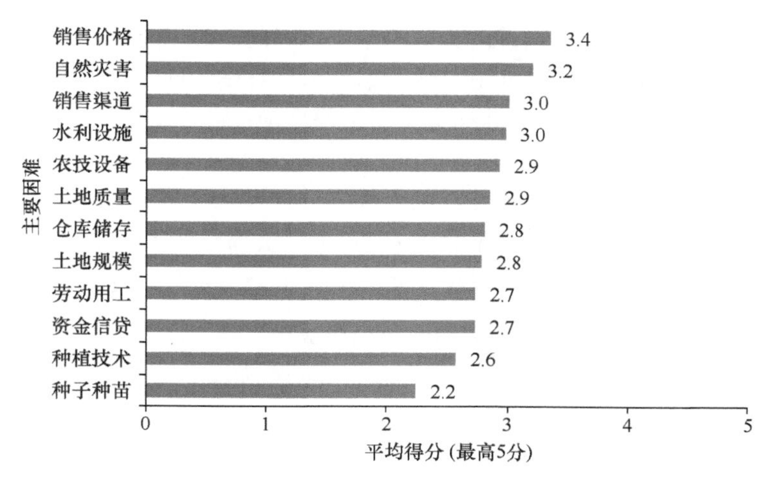

图 3-8 被调查农户对小麦生产经营过程中主要困难的总体评价情况

图中相同分值对应的柱长不同是因修约造成，后同

此外，小麦种植户普遍认为价格、销售和自然灾害三方面存在困难。在被调查的 12 个主要困难中，最主要的困难感知来源是销售价格、自然灾害和销售渠道，这三者的评分均值都高于 3.0 分；其次是水利设施、农技设备、土地质量和仓库储存，其评分均值均位于 2.9 分左右；再次是土地规模、劳动用工和资金信贷，其评分均值均为 2.7 分左右；种植技术评分均值为 2.6 分。对于种子种苗所产生的感知风险则相对较低。

在对小麦销售价格的困难感知中，接近一半的种植户认为销售价格是小麦生产经营中的一个主要困难，其中，29.67%的种植户认为该方面存在较大困难，16.88%的种植户认为该方面存在的困难很大（表 3-9）。在对自然灾害的困难感知中，超过 40%的种植户认为该因素是小麦生产经营中的一个主要困难，其中，27.37%的种植户认为该方面存在较大困难，14.83%的种植户认为该方面存在的困难很大。此外，在对农技设备、土地质量、仓库储存、土地规模、劳动用工、资金信贷和种植技术这七项的困难感知中，也均有超过 20%的种植户认为这些因素存在的困难大（困难较大和困难很大）。

表 3-9 小麦生产经营过程中主要困难的频率 （%）

困难类型	困难很小频率	困难较小频率	困难一般频率	困难较大频率	困难很大频率
种子种苗	29.92	28.13	30.43	10.49	1.02
种植技术	21.74	22.25	35.04	18.67	2.30
土地质量	9.46	19.95	48.34	20.20	2.05
土地规模	15.09	20.97	37.85	22.25	3.84
资金信贷	22.51	13.81	37.85	18.93	6.65
劳动用工	18.16	20.20	36.06	21.23	4.35
农技设备	12.79	16.62	41.43	23.02	6.14
水利设施	12.53	19.69	32.23	27.88	7.67
仓库储存	16.88	20.97	35.29	17.90	8.95
销售价格	9.46	8.70	35.29	29.67	16.88
销售渠道	12.28	18.67	36.57	20.46	12.02
自然灾害	10.23	15.35	32.23	27.37	14.83

从总体和单个方面的分析也得出类似的结论。因此，要想降低小麦种植户在生产经营中的困难感知，应当着重解决市场价格不稳定和不对称的问题，减少自然灾害造成的减产损失，修建和维护水利设施，并拓宽小麦销售渠道；同时还要整治和提高土地质量，普及农技设备。

本研究运用 SPSS 22.0 统计软件对调查数据进行多元有序 Logistic 回归分析。从模型使用的条件检验，即平行性检验来看（表 3-10），显著性为 0.925，大于 0.005，说明模型中各个回归方程互相平行，可以使用多元有序 Logistic 回归进行分析。

表 3-10　平行性检验

模型	对数似然值	卡方值	自由度	显著性
虚无假设	651.234			
总体	636.376	14.859	24	0.925

关于模型拟合度的检验，在模型全局性检验中（表 3-11），模型显著性小于 0.05，说明模型中至少有一个自变量偏回归系数不等于 0，即模型具有统计学意义。在拟合优度检验中，模型相关系数和离差的显著性均大于 0.05，说明模型拟合效果良好。

表 3-11　模型拟合信息

模型	对数似然比值	卡方值	自由度	显著性
截距	689.469			
终值	651.234	38.235	13	0.000

模型估计结果见表 3-12。由表 3-12 可知，劳动用工对小麦种植户小麦种植规模意愿表现为极显著正相关。劳动用工这一方面的困难通过统计水平的显著性检验（1%的统

表 3-12　模型估计结果

变量	估计值	卡方值	自由度	显著性	95%置信区间	
					下限	上限
扩大规模[$y=1$]	−1.978	13.279	1	0.000	−3.042	−0.914
规模不变[$y=2$]	2.339	19.038	1	0.000	1.288	3.389
缩小规模[$y=3$]	3.843	46.296	1	0.000	2.736	4.950
种子种苗（x_1）	−0.026	0.037	1	0.848	−0.298	0.245
种植技术（x_2）	−0.067	0.576	1	0.448	−0.240	0.106
土地质量（x_3）	−0.156	1.011	1	0.315	−0.459	0.148
土地规模（x_4）	−0.102	0.532	1	0.466	−0.376	0.172
资金信贷（x_5）	0.094	0.643	1	0.423	−0.135	0.322
劳动用工（x_6）	0.461***	13.493	1	0.000	0.215	0.708
农技设备（x_7）	0.105	0.640	1	0.424	−0.153	0.363
水利设施（x_8）	−0.176	1.828	1	0.176	−0.431	0.079
仓库储存（x_9）	−0.047	0.136	1	0.713	−0.297	0.203
销售价格（x_{10}）	0.028	0.050	1	0.822	−0.219	0.276
销售渠道（x_{11}）	0.375***	7.677	1	0.006	0.110	0.640
自然灾害（x_{12}）	−0.082	0.468	1	0.494	−0.317	0.153

***表示变量在 1%的统计水平上显著

计水平)，显示劳动用工这方面困难越高的小麦种植户缩小小麦种植规模甚至放弃小麦种植的意愿越大。经济技术的发展使得越来越多的农村劳动力向城市转移，且留在农村务农的大多为老人和妇女，在家务农的青壮年劳动力越来越少。劳动力不足制约了小麦种植户扩大种植规模的能力，使得种植规模难以扩大。

销售渠道对小麦种植户小麦种植规模意愿表现为极显著正相关。销售渠道的困难统计水平的显著性检验（1%的统计水平），显示销售渠道困难越高的小麦种植户缩小小麦种植规模甚至放弃小麦种植的意愿越大。销售渠道直接关乎小麦种植户小麦销售的数量和价格，多样化的销售渠道可以分担农户的小麦销售风险，让农户有更多的销售选择。而且小麦销售基本靠商贩上门收购，其他销售渠道涉及较少，制约了小麦规模的扩大。

（六）小麦主要销售途径

小麦销售途径是影响小麦种植户种植规模和收益的重要因素。现有的小麦主要销售途径有商贩上门收购、卖给当地农贸市场、企业订单收购、合作社统一收购和政府收购等 5 种。我们运用利克特量表来测量小麦种植户小麦的主要销售途径，并按销售数量的多少分为基本没有、比较少、一般、比较多和基本全是 5 个等级。在数据录入时，为方便起见，将这 5 个等级分别计为 1 分、2 分、3 分、4 分、5 分，分值越大意味着通过这一途径销售的越多。

调查结果表明，所列小麦主要销售途径分数均值都在 1.5 分以上，且大多数农户生产的小麦的主要销售途径是商贩上门收购和卖给当地农贸市场。在被调查的五个主要销售途径中，最主要的销售途径是商贩上门收购，其评分均值达到 3.67 分；其次是卖给当地农贸市场这一销售途径，评分均值为 2.59 分；而企业订单收购、合作社统一收购和政府收购这三个销售途径销售数量较小，其评分均值均为 1.7 分左右。

从小麦各个主要销售途径频数分析（表 3-13）来看，在对商贩上门收购这一销售途径的评估中，大多数（62.15%）小麦种植户认为这是主要销售渠道，其中 32.48%的种植户生产的小麦基本全是靠商贩上门收购来进行销售，29.67%的种植户生产的小麦大多是靠商贩上门收购来进行销售。在对卖给当地农贸市场这一销售渠道的评估中，超过50%的种植户认为该销售渠道是一个较为主要的销售渠道，其中，23.02%的种植户生产的小麦一般卖给当地农贸市场，20.97%的种植户生产的小麦大多是卖给当地农贸市场，8.44%的种植户生产的小麦基本全是卖给当地农贸市场。而在对企业订单收购、合作社统一收购和政府收购这三个销售途径的评估中，均有接近或超过一半的种植户基本没有依靠这三个销售途径进行小麦销售，因此认为这三个销售途径均不是重要的销售途径。

表 3-13 小麦主要销售途径频数 （%）

销售途径	基本没有频数	比较少频数	一般频数	比较多频数	基本全是频数
政府收购	53.71	31.20	9.21	5.12	0.77
合作社统一收购	47.06	31.46	18.93	2.30	0.26
商贩上门收购	6.39	14.58	16.88	29.67	32.48
企业订单收购	53.45	21.23	18.41	5.63	1.28
卖给当地农贸市场	31.71	15.86	23.02	20.97	8.44

无论是从总体上看还是对单个销售途径进行分析，得出的结论都是一致的。小麦种植户大多依靠商贩上门收购来进行小麦销售，部分种植户会卖给当地农贸市场，而采用企业订单收购、合作社统一收购和政府收购这三个销售途径的较少。

二、赤霉病防治情况调查

（一）调查样本的基本情况

关于小麦是否经常发生赤霉病这一问题，本研究共调查了 391 个小麦种植农户，其中有 174 个农户的小麦经常发生赤霉病，而剩下的 217 个农户认为他们的小麦不常发生赤霉病（表 3-14）。但是，即使是这 217 个农户种植的小麦，也并非是没有发生过赤霉病，而只是没有经常发生赤霉病，所以，赤霉病仍旧是一个严重影响小麦质量的因素。

表 3-14 小麦是否经常发生赤霉病调查情况

是否经常发生赤霉病	农户数量（个）	选项占比（%）
是	174	44.50
否	217	55.50

然而，赤霉病除了会影响小麦种植的质量和产量外，如果这些感染赤霉病的小麦被人食用，还会造成食用者中毒的现象。甚至是鸡、鸭、鹅和猪等家禽家畜食用了以患病小麦为原料的饲料，而人们食用了这些家禽家畜，食用者一样会中毒。因此，赤霉病成为一个在小麦种植过程中需要被认真防治、认真处理的粮食安全问题。

（二）被调查农户近三年赤霉病受灾减产收入和中毒情况

本研究探究了华中地区近三年来因小麦感染赤霉病使得小麦种植农户收入减少的情况，结果（图 3-9）发现，江苏省是受赤霉病影响亩均收入损失最为严重的省份，平均每亩收入损失为 786.77 元，其他省份亩均收入损失从多到少依次是安徽省、湖北省、湖南省和江西省。

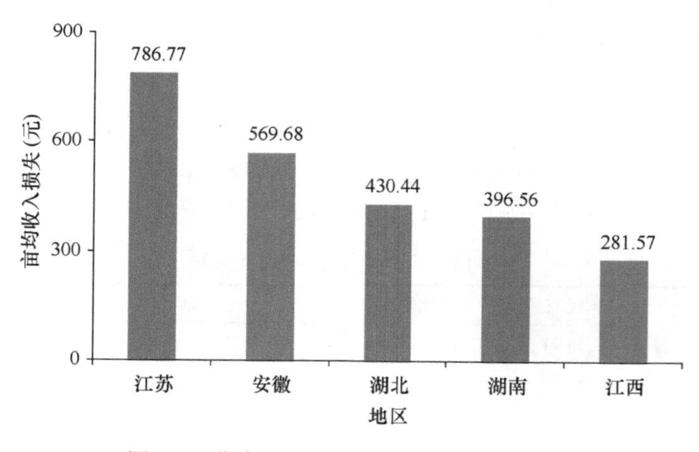

图 3-9 华中五省农户近三年亩均收入损失

人一旦食用了感染赤霉病的小麦，就会发生一些中毒情况。本研究首先调查了赤霉病中毒事件的主体情况，然后根据主体情况，将赤霉病中毒的主体分为四类，分别是农户自己及家人、其他农户、市场上的消费者和牲畜。为了更好地调查这四类主体发生赤霉病的中毒事件，我们借鉴利克特量表，将这四类主体的中毒情况分为5个等级，分别是基本没有、比较少、一般、比较多和基本全是，并在数据录入时分别用1分、2分、3分、4分和5分对应这5个等级。

调查结果表明，这四类主体都发生了不同程度的赤霉病中毒现象，其中赤霉病中毒现象最严重的是牲畜，这可能与现在农民的安全、健康意识的逐渐加强有关，在普及基础的健康卫生知识之后，农户大多会选择将感染了赤霉病的小麦丢弃，而非为了节约金钱自己食用，有效降低了农户自己及家人、其他农户和市场上的消费者因赤霉病中毒的概率。这三类主体患赤霉病的程度均未超过10%，其中99%的农户自己及家人并未因为赤霉病而发生中毒事件。而作为赤霉病中毒事件发生程度最高的主体——牲畜，发生程度也仅有16.63%，相比于过去，有了大幅度的改善。

（三）赤霉病药物防治与效果

赤霉病药物防治的调查结果（图3-10）表明，多菌灵、甲基托布津、氰烯菌酯和三唑酮是小麦种植户针对赤霉病采用的最常见的药物，还有一些农户采取组合用药，其中一种是主要用药，另一种是辅助用药。打药方式方面，农户主要采用的是喷洒的方式，一是喷洒有利于抗赤霉病药物的均匀分配和易于小麦吸收；二是农户的基础设施有限，喷洒是相对来说最易操作和成本最低的打药方式。

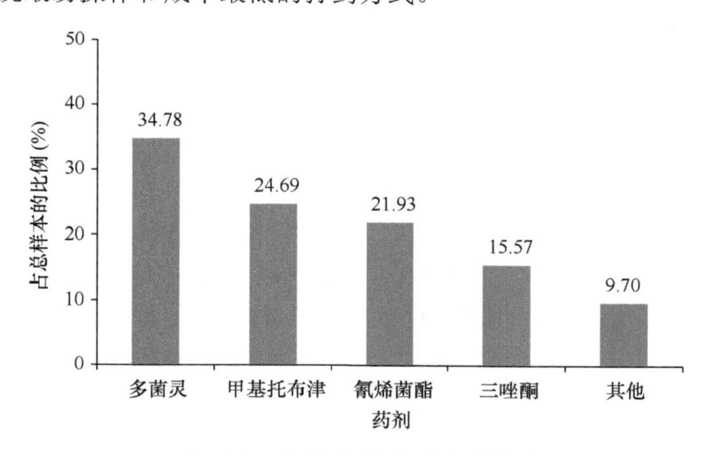

图3-10　赤霉病防治药剂使用情况

调查结果（表3-15）表明，小麦种植户认为多菌灵和氰烯菌酯的效果是最好的，分别只有6.91%和6.40%的农户认为这两种药剂对于防治小麦赤霉病效果非常差或者效果比较差，此外，甲基硫菌灵也有着不错的防治效果，有14.29%的调查对象认为该种药剂的防治效果非常好，这可能与土壤、气候等因素有关，所以在某一区域的农户认为这一药剂效果显著，而其他地方的小麦种植户则认为没有那么有效。其他几种药剂，如甲基托布津、稀唑醇（禾果利）、咪鲜胺和戊唑醇的防治效果差异不大，都有一定的防治效果。按照赤霉病防治药剂效果的情况对各种药剂进行打分，结果如图3-11所示。

表 3-15 赤霉病防治药剂效果调查 （%）

药剂	效果非常差占比	效果比较差占比	效果一般占比	效果比较好占比	效果非常好占比
多菌灵	2.63	4.28	37.50	40.79	14.80
甲基托布津	2.39	12.35	47.01	34.26	3.98
稀唑醇（禾果利）	2.62	10.48	49.34	31.44	6.11
咪鲜胺	2.44	7.32	47.56	38.21	4.47
甲基硫菌灵	1.19	9.13	42.86	32.54	14.29
戊唑醇	1.71	7.69	52.56	32.48	5.56
氰烯菌酯	0.46	5.94	51.14	34.70	7.76

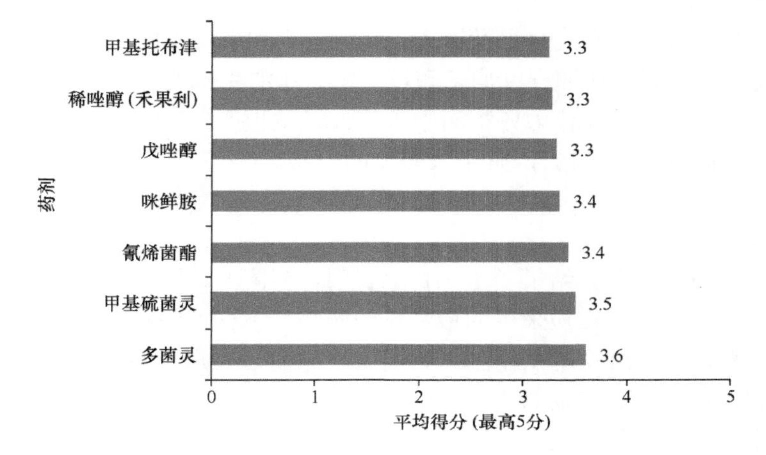

图 3-11 赤霉病防治药剂效果情况

所以，多菌灵是防治赤霉病效果相对较好的药物，且各个省份均有使用，可作为政府目前普及农民防治赤霉病的主要药物。

（四）当地小麦感染赤霉病的症状

调查结果（表 3-16）表明，枯死（形成白穗）和产生黑色颗粒（即子囊壳）症状的普遍程度较高，都有接近 50%的发生率，可见，小麦感染赤霉病所表现出来的症状主要集中于枯死（形成白穗）和产生黑色颗粒（即子囊壳），而穗腐、苗枯和茎腐则没有那么普遍，有 34.72%、22.78%和 28.49%的小麦种植户认为自家小麦患赤霉病时未表现出这三种症状，且只有 15%左右的种植户认为自家小麦患赤霉病时较多地出现了这些症状。按照小麦感染赤霉病症状评价对各症状打分，结果如图 3-12 所示。

表 3-16 小麦感染赤霉病各症状发生率

症状	发生率（%）				
	基本没有	比较少	一般	比较多	基本全是
穗腐	34.72	35.83	12.50	16.39	0.56
苗枯	22.78	46.11	17.22	13.33	0.56
茎腐	28.49	39.66	20.39	9.78	1.68
枯死（形成白穗）	15.51	37.40	22.99	20.78	3.32
产生黑色颗粒（即子囊壳）	31.20	20.06	30.36	12.26	6.13

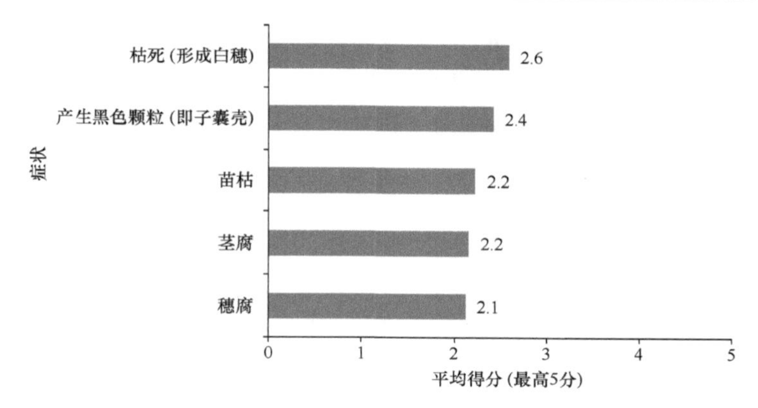

图 3-12　小麦感染赤霉病症状评价

（五）主要发现

（1）赤霉病暴发的趋势是逐渐向北迁移扩散，范围还会进一步扩大。本调查研究了赤霉病导致的亩均减产程度，结果显示，江苏、安徽的减产情况明显比湖北、湖南、江西三个省份严重。受全球气候变暖、厄尔尼诺的影响，赤霉病的侵染范围还会进一步扩大。

（2）气候阴雨潮湿是赤霉病暴发的主要原因。小麦赤霉病暴发与抽穗扬花期降水日数和降水量、田间相对湿度等因素有直接关系。小麦抽穗扬花期如遇连续 3 天以上有一定降水量的阴雨天气，就可以造成小麦赤霉病的大流行。被调查农户表示，随着暖冬的加剧、春季降雨的增加，赤霉病影响会加剧，给小麦生产带来巨大的困难。

（3）仓储、加工环节的赤霉病侵染不容忽视。如果小麦在收获、存储、加工过程中未经充分干燥就会导致湿度过高，为赤霉病菌提供生长、传染的条件。调研中农户普遍反映近年来收获后小麦赤霉病的发生在不断加剧。农户在道路上晾晒小麦既不合法也不安全，而种植大户对烘干设备的认识和使用都存在不足，这些都可能导致小麦未经充分干燥而产生赤霉病。

（4）赤霉病“病麦”主要用作饲料或掺杂出售。受到赤霉病菌侵染的“病麦”并未得到妥善处理，销毁、丢弃不是被调查农户的首选方案。农户更倾向于用作畜禽饲料，或者磨成面粉后以次充好、掺杂出售。这些对“病麦”的不当处理容易导致畜禽和人食物中毒。本次调查也反映出鸡、鸭、猪容易受到霉变饲料的感染。

（5）农户赤霉病防治药剂首选多菌灵。多菌灵作为传统药剂，施用量最大，防治效果的评价也最高。甲基托布津、稀唑醇（禾果利）、咪鲜胺、甲基硫菌灵、戊唑醇、氰烯菌酯等药剂也有使用，对这些药剂防治效果的评价比多菌灵稍低，而多种药剂和多菌灵的搭配使用是常见的情况。

第三节　华中地区柑橘种植情况调查

一、调查农户柑橘生产的基本情况

（一）生产经营

对柑橘种植品种的调查结果表明，被调查的农户中，绝大部分农户只种了一个品种的柑橘，主要有‘南丰蜜橘’‘椪柑’‘国庆一号’‘砂糖橘’‘蜜橘’等；有少数农户种植了两个品种的柑橘，以偏晚熟的蜜橘为主；种植三种柑橘品种的农户就少之又少了，被调查的农户种植的第三类品种主要有‘国庆一号’和‘南丰蜜橘’；种植三个品种以上的农户几乎没有。

对 2016 年柑橘种植情况的调查结果显示，柑橘种植工序有果园机械处理、喷洒农药以及修剪末梢等。本研究对果园机械处理数量、喷洒农药次数以及修剪末梢次数进行了统计，其均值分别为 26 次、6 次、2 次。

柑橘种植环境和条件包括土壤排水透气性、土壤有机质含量、空气质量、灌溉水质、灌溉便利性以及交通便利性。调查结果（表 3-17）表明，柑橘种植农户认为空气质量和灌溉水质相对较好，其次是灌溉便利性和交通便利性，最后是土壤排水透气性和土壤有机质含量。其中，被调查农户对空气质量和灌溉水质的评价为比较好和非常好的户数均超过或等于 98 户，总占比分别超过 70%和 50%；对灌溉便利性和交通便利性的评价为比较好和非常好的人数均超过或等于 80 人，总占比分别超过 49%和 47%；对土壤排水透气性和土壤有机质含量的评价为比较好和非常好的人数均超过或等于 62 人，总占比也均超过 36%。按照柑橘种植环境和条件评价对各环境和条件要素打分，结果如图 3-13 所示。

表 3-17 柑橘种植环境和条件评价

环境和条件	很差		比较差		一般		比较好		非常好	
	频数	占比（%）	频数	占比（%）	频数	占比（%）	频数	占比（%）	频数	占比（%）
土壤排水透气性	9	5.26	17	9.94	83	48.54	56	32.75	6	3.51
土壤有机质含量	6	3.53	18	10.59	82	48.24	60	35.29	4	2.35
空气质量	0	0.00	0	0.00	50	29.41	84	49.41	36	21.18
灌溉水质	1	0.58	2	1.17	70	40.94	82	47.95	16	9.36
灌溉便利性	6	3.51	16	9.35	65	38.01	68	39.77	16	9.36
交通便利性	8	4.71	16	9.41	66	38.82	63	37.06	17	10.00

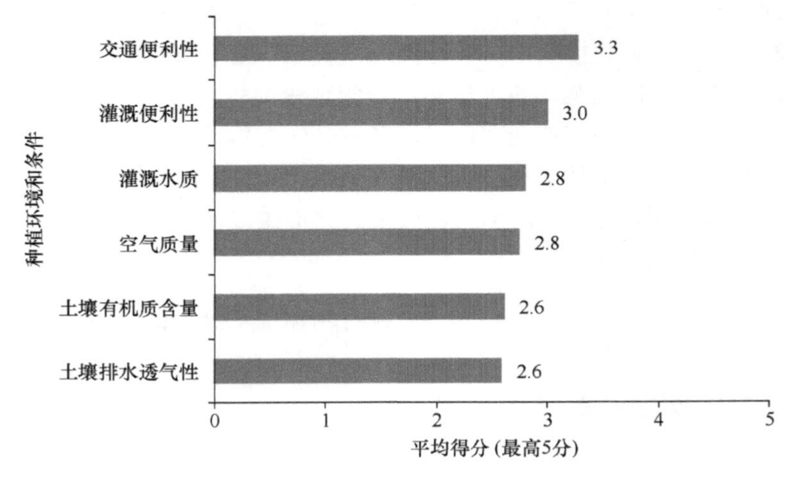

图 3-13 柑橘种植环境和条件评价

（二）销售渠道

调查结果表明，柑橘种植农户采取的较多的销售途径是商贩上门收购和卖给当地农贸市场，其次是企业订单收购和网络销售，农户采用的最少的销售途径是政府收购和合作社统一收购。在对商贩上门收购这一途径的评价上，共有79人选择了比较多的选项，占比41.36%；选择“基本全是”选项的有38人，占比19.90%，两个选项加起来有超过了一半的人采取此途径。在对卖给当地农贸市场这一途径的评价上，共有60人选择了“比较多”的选项，占比31.75%；选择“基本全是”选项的有16人，占比8.38%，两个选项加起来有 40.13%的人采取此途径。在对企业订单收购和网络销售这两个途径的评价上，分别有36人和29人选择了“比较多”的选项，占比分别为18.85%和15.18%，分别有4人和6人选择了“基本全是”的选项，占比分别为2.09%和3.14%，相比于前两种途径，这两种途径显然采取的概率较小。在对政府收购和合作社统一收购这两个途径的评价上，分别有6人和16人选择了“比较多”的选项，占比分别为3.14%和8.38%，有0人和1人选择了基本全是的选项，占比分别为0%和0.52%，相比于前四种途径，这两种途径显然采取的概率极小。这些结果表明，在柑橘销售渠道的选择上，农户更倾向于选择商贩上门收购和卖给当地农贸市场这两种途径。对于其他的渠道，如企业订单收购、网络销售、政府收购以及合作社统一收购被选择的可能性较低，但也可加以考虑，可作为备选项。

二、柑橘质量安全风险

（一）风险来源

人们常谈“险”色变，因为在大多数人的认知中，风险意味着可能的损失或者可能的代价。当人们感知到的风险比较高，尤其是可能要承受的损失大于可能的收益时，人们往往会为了规避风险而放弃要做的事。对于柑橘种植户而言，当柑橘种植的感知风险过高时，他们很可能会降低种植规模甚至放弃种植。因此，了解种植户在柑橘种植过程中的风险感知情况尤其是感知的风险源具有十分重要的意义，有利于更有针对性地、更好地采取措施降低种植户的风险感知，增强他们的种植积极性。

调查结果（表3-18）表明，柑橘种植户感知到的风险较大的来源主要有病虫害、柑橘价格波动、市场供求变化、省外柑橘供应的影响、旱涝等极端天气、生产资料价格波动以及农业政策的影响。这些来源被农户感知风险一般的占比在20%～40%，感知风险较大和风险很大的百分比之和均超过了40%，有的甚至超过了50%。而对于其他风险来源的风险感知程度的结果表明，感知到风险一般的占比为40%～57%，感知风险较大和风险很大的百分比之和相比前面的风险来源有所降低，仅为20%～38%。由此可见，柑橘种植户对大部分的风险来源感知到的风险都比较大。对柑橘种植风险的几种主要来源进行评价，得分结果如图3-14所示。

（二）病虫害或自然灾害的危害

现有的病虫害或自然灾害对柑橘生产的危害包括黄龙病（黄梢病）、溃疡病、疮痂

表 3-18 柑橘种植风险的主要来源

主要来源	风险很小		风险较小		风险一般		风险较大		风险很大	
	频数	占比（%）	频数	占比（%）	频数	占比（%）	频数	占比（%）	频数	占比（%）
病虫害	10	5.29	17	8.99	47	24.87	54	28.57	61	32.28
灌溉条件	9	4.76	32	16.93	106	56.08	36	19.05	6	3.17
种植技术	8	4.21	25	13.16	90	47.37	47	24.74	20	10.53
柑橘价格波动	2	1.05	15	7.89	50	26.32	73	38.42	50	26.32
市场供求变化	3	1.59	18	9.52	45	23.81	72	38.10	51	26.98
运输流通	5	2.66	29	15.43	81	43.09	60	31.91	13	6.91
省外柑橘供应的影响	4	2.12	26	13.76	77	40.74	65	34.39	17	8.99
旱涝等极端天气	13	6.84	20	10.53	65	34.21	60	31.58	32	16.84
固定投资	10	5.35	40	21.39	96	51.34	33	17.65	8	4.28
土地随时会收回	40	21.05	53	27.89	58	30.53	32	16.84	7	3.68
柑橘品种选择	19	9.95	22	11.52	79	41.36	57	29.84	14	7.33
生产资料价格波动	7	3.68	27	14.21	76	40.00	62	32.63	18	9.47
农业政策的影响	4	2.11	37	19.47	53	27.89	69	36.32	27	14.21

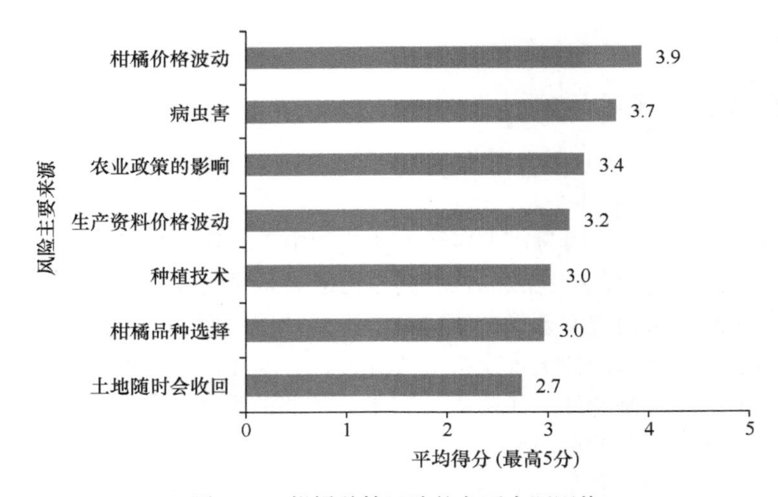

图 3-14 柑橘种植风险的主要来源评价

病、炭疽病、根结线虫病、红蜘蛛、潜叶蛾、锈壁虱、介壳虫、冬季冻害。为了更明晰这些灾害给柑橘生产带来的危害程度，我们借鉴利克特量表，将危害程度分为没有、较小、一般、较大和很大 5 个等级。

调查结果（表 3-19）表明，这十种病虫害或自然灾害所带来的危害程度占比最多的选项都是“一般”，都在 25%～45%，也就是说从柑橘种植户的角度来看，他们认为这些不可避免的灾害所带来的危害是在他们的可承受范围之内的。各种灾害之间相比，冬季冻害和黄龙病带来的危害最大。调查过程中通过与农户的深入访谈，发现农户深受黄龙病传播扩散迅速以及反复发病等的困扰。对病虫害或自然灾害给柑橘生产带来的危害进行评价，得分如图 3-15 所示。

表 3-19　病虫害或自然灾害对柑橘生产的危害程度

病虫害或自然灾害	没有		较小		一般		较大		很大	
	频数	占比（%）	频数	占比（%）	频数	占比（%）	频数	占比（%）	频数	占比（%）
黄龙病	25	13.59	35	19.02	48	26.09	35	19.02	41	22.28
溃疡病	18	9.68	46	24.73	71	38.17	32	17.20	19	10.22
疮痂病	21	11.35	39	21.08	70	37.84	42	22.70	13	7.03
炭疽病	17	9.29	42	22.95	80	43.72	31	16.94	13	7.10
根结线虫病	25	13.51	48	25.95	73	39.46	30	16.22	9	4.86
红蜘蛛	14	7.53	43	23.12	70	37.63	34	18.28	25	13.44
潜叶蛾	19	10.22	33	17.74	77	41.40	39	20.97	18	9.68
锈壁虱	21	11.23	37	19.79	78	41.71	30	16.04	21	11.23
介壳虫	12	6.42	41	21.93	85	45.45	30	16.04	19	10.16
冬季冻害	16	8.60	35	18.82	56	30.11	51	27.42	28	15.05

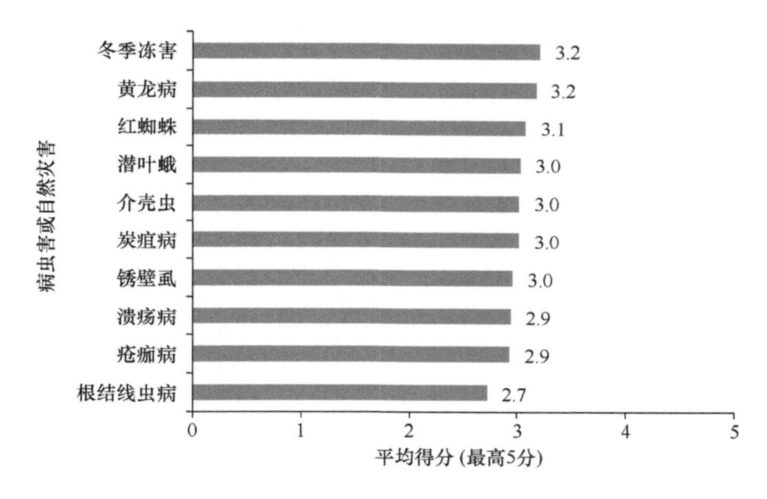

图 3-15　病虫害或自然灾害给柑橘生产带来的危害评价

三、农户对防虫抗害技术的应用

将文化程度、与户主关系、农业劳动力人口占比、收入水平、柑橘种植收入满意度、户主从业类别、柑橘种植规模、未来 2～3 年种植计划、种植柑橘品种数量、商贩上门收购、面临的各种困难、风险意识、风险来源、降低风险途径、各种危害、对新技术设定的预期总收益目标等作为自变量，防虫抗害技术采纳意愿作为因变量进行回归分析。

回归分析结果（表 3-20）表明，商贩上门收购、果实储存、自然灾害、当前柑橘种植的风险、病虫害、旱涝等极端天气、引进新品种、通过学习提高技术和知识水平对采纳防虫抗害技术的意愿有显著影响，而柑橘种植规模、农技设备、水利设施、销售渠道、市场供求变化等因素对防虫抗害技术采纳意愿的影响不显著。

表 3-20　防虫抗害技术采纳意愿的回归分析

相关因素变量	β 值	t 值	显著性	偏相关
文化程度	0.090	1.128	0.261	0.101
与户主关系	0.064	0.802	0.424	0.072
农业劳动力人口占比	−0.146	−1.840	0.068	−0.163
收入水平	−0.032	−0.386	0.700	−0.035
柑橘种植收入满意度	0.111	1.371	0.173	0.122
户主从业类别	−0.005	−0.067	0.947	−0.006
柑橘种植规模	0.103	1.295	0.198	0.116
未来 2～3 年种植计划	−0.004	−0.050	0.960	−0.004
种植柑橘品种数	−0.130	−1.640	0.104	−0.146
商贩上门收购	−0.169	−2.131	0.035	−0.188
农技设备	0.119	1.494	0.138	0.133
水利设施	0.032	0.396	0.693	0.036
果实储存	0.179	2.272	0.025	0.200
销售价格	0.130	1.632	0.105	0.145
销售渠道	0.073	0.916	0.362	0.082
自然灾害	0.167	2.090	0.039	0.184
当前柑橘种植的风险	0.176	2.192	0.030	0.193
病虫害	0.275	3.018	0.003	0.262
柑橘价格波动	−0.017	−0.197	0.845	−0.018
市场供求变化	0.138	1.709	0.090	0.152
旱涝等极端天气	0.309	4.123	0.000	0.347
引进新品种	0.296	3.757	0.000	0.320
通过学习提高技术和知识水平	0.212	2.475	0.015	0.217
愿意为新技术的总投入	0.084	0.990	0.324	0.089
对新技术设定的预期总收益目标	−0.018	−0.214	0.831	−0.019

第四节　华中地区淡水产品养殖情况调查

一、调查农户淡水产品养殖现状

（一）淡水产品养殖规模的调整

淡水产品养殖户有意愿扩大淡水产品养殖规模，可能是被扩大规模本身带来的好处所吸引，比如规模大能降低成本、规模大能提高收益、规模大更能得到政府支持、降低经营风险等；也可能是出于外界条件的影响，比如预期价格会上涨、其他产业就业机会减少等。为了更为具体地衡量这些原因的相对重要性，我们借鉴利克特量表，让被调查的养殖户评价对所给可能原因的同意程度。我们将同意程度分为 5 个等级，分别是非常不同意、比较不同意、中立、比较同意和非常同意。数据录入时，为方便起见，将这 5 个等级分别对应不同的分值：1 分、2 分、3 分、4 分、5 分，分值越高表示同意程度越高。

调查结果表明，淡水产品养殖户愿意扩大规模的主要原因是扩大规模可以带来诸多好处，尤其是扩大规模可以产生规模效应，从而提高收益。在对非规模因素的评价中，养殖户认为预期价格会上涨是驱使他们扩大规模的一个重要因素。在对规模因素的相关评价上，比较同意和非常同意规模大能降低成本从而愿意扩大规模的养殖户共有123户，占比为44.2%；比较同意和非常同意规模大能提高收益从而愿意扩大规模的养殖户共有167户，占比为60.1%；比较同意和非常同意规模大更能得到政府支持从而愿意扩大规模的养殖户共有135户，占比为48.6%；比较同意和非常同意规模大能降低经营风险从而愿意扩大规模的养殖户共有94户，占比为33.8%。在对非规模因素的相关评价上，比较同意和非常同意预期价格会上涨从而愿意扩大规模的养殖户共有95户，占比为34.2%；而认为其他产业就业机会减少从而扩大养殖规模的养殖户较少，仅有67户，占比24.1%。

湖北省淡水产品养殖户扩大养殖规模的主要原因是规模大能提高收益；湖南省淡水产品养殖户扩大养殖规模的主要原因是规模大能提高收益；江西省淡水产品养殖户扩大养殖规模的主要原因是规模大能提高收益，其次是规模大能降低成本和规模大更能得到政府支持；安徽省淡水产品养殖户扩大养殖规模的主要原因是规模大能提高收益和规模大更能得到政府支持；江苏省淡水产品养殖户扩大养殖规模的主要原因是规模大能提高收益，其次是规模大能降低成本和规模大更能得到政府支持，再次是预期价格会上涨。由此可见，对华中地区的养殖户而言，提高收益是最为重要的。要想调动其养殖积极性，必须想方设法提高养殖户的养殖收益。此外，政府支持也是华中地区养殖户所重视的。

与各种原因的总体水平相比，江西省和江苏省对规模大能降低成本这一因素的重视高于总体平均水平；江西省和江苏省对规模大能提高收益这一因素的重视高于总体平均水平；江西省和江苏省对预期价格会上涨这一因素的重视高于总体平均水平；江西省、安徽省和江苏省对规模大更能得到政府支持这一因素的重视高于总体平均水平；湖南省和江苏省对其他产业就业机会减少这一因素的重视高于总体平均水平；江西省和江苏省对降低经营风险这一因素的重视高于总体平均水平。由此可见，江西省和江苏省是需要重点关注的省份。

（二）淡水产品养殖面临的困难

调查结果（表3-21）显示，养殖户在淡水产品养殖过程中，感觉困难程度较大的是资金信贷、病害防治、上市价格波动和自然风险；感觉困难程度较小的是饲料选择、渔机渔具和运输困难。其中，湖北省养殖户感觉较困难的是自然风险、病害防治和储存困难；湖南省养殖户感觉较困难的是养殖技术、资金信贷和养殖规模；江西省养殖户感觉较困难的是资金信贷、上市价格波动和病害防治；安徽省养殖户感觉较困难的是病害防治、资金信贷和自然风险；江苏省养殖户感觉较困难的是储存困难、销售困难和上市价格波动。

（三）淡水产品养殖风险

调查结果表明，所有的风险来源感知分数均值都在4分以下，且大多数的风险源评

表 3-21 华中地区淡水产品养殖面临的困难

地区	上市价格波动	优良苗种获得	养殖技术	水质较差	养殖规模	资金信贷	劳动用工	渔机渔具	市场信息
湖北	3.24	2.97	3.15	3.30	3.15	3.30	3.18	2.61	3.39
湖南	3.31	3.13	3.71	3.13	3.52	3.67	3.15	3.33	3.50
江西	3.43	3.24	3.34	3.15	3.22	3.57	2.70	2.67	3.13
安徽	3.06	2.97	3.18	3.03	2.88	3.42	3.30	2.70	3.12
江苏	3.53	3.00	3.14	2.97	2.67	3.11	2.81	2.86	3.19
华中五省	3.34	3.10	3.30	3.10	3.17	3.48	3.04	2.83	3.22
地区	销售困难	病害防治	自然风险	饲料选择	运输困难	缺少政府扶持	水域确权	新品种苗种获得	储存困难
湖北	3.30	3.67	3.76	3.21	3.15	3.48	2.64	3.42	3.58
湖南	3.31	3.38	3.40	3.04	3.10	3.40	3.15	3.31	3.27
江西	3.07	3.41	3.34	2.83	2.79	3.34	2.96	3.15	3.09
安徽	3.24	3.85	3.33	2.67	2.45	3.12	2.94	2.94	2.67
江苏	3.39	3.19	3.08	2.64	2.81	3.08	2.64	3.08	3.44
华中五省	3.18	3.44	3.34	2.85	2.81	3.28	2.91	3.18	3.17

分都高于 3 分。这表明，淡水产品养殖户一般认为进行淡水产品养殖风险不大，但还是需要引起重视，加以预防。

由表 3-22 可知，在被调查的十个可能的风险源里，最主要的风险感知来源是价格波动和市场供求变化，其次是水质条件和养殖技术，再次是自然灾害、养殖设施投资和病虫害。而运输流通、饲料购买存放以及池塘随时会被收回的感知风险相对较低。这与淡水养殖的行业特点及实际情况是相符合的。在对价格波动的风险感知中，有 39.30%的养殖户认为该风险源的风险较大，14.30%的养殖户认为该风险源的风险很大，也就是说超过 50%的养殖户认为价格波动是淡水养殖中的一个主要的风险源。在对市场供求变化的风险感知中，超过 50%的养殖户认为该因素是淡水养殖中的一个主要风险源，其中认为该因素会产生较大风险的养殖户占 43.80%，认为该因素会产生很大风险的养殖户占 14.00%。在对水质条件和养殖技术的风险感知中，均有接近一半的养殖户认为这两

表 3-22 淡水产品养殖风险源感知分数分布情况

风险源	各感知分数占比（%）				
	1 分	2 分	3 分	4 分	5 分
病虫害	7.0	18.8	29.0	34.9	10.3
水质条件	2.2	16.9	32.4	36.8	11.0
养殖技术	2.9	10.3	42.3	35.3	8.8
价格波动	2.9	9.6	33.1	39.3	14.3
市场供求变化	1.5	8.8	31.3	43.8	14.0
运输流通	5.5	21.0	42.6	22.8	7.7
自然灾害	6.3	15.4	31.6	34.9	11.4
养殖设施投资	3.3	18.8	43.8	28.7	5.1
饲料购买存放	13.6	22.8	43.0	18.4	2.2
池塘随时会被收回	27.2	22.8	33.5	11.8	4.8

个因素是淡水养殖中的主要风险源。此外，在对自然灾害和病虫害的风险感知中，也有超过 40%的养殖户认为这两个因素是淡水养殖中的主要风险源。而对剩下几个因素的风险感知中，认为该因素产生较大或者很大风险的养殖户占比都低于 35%。无论是从总体上看还是对单个风险源进行分析，得出的结论都是一致的。因此，要想降低淡水产品养殖户的感知风险，就应当着重解决淡水产品市场供求及价格变化信息不对称的情况，还要确保养殖的水质条件优良，给予科学有效的养殖技术支持，同时要及时采取措施防治自然灾害与病虫害。

二、调查中发现的主要问题

（一）水质较差阻碍养殖规模的扩大

从整体调查情况来看，华中地区淡水产品养殖户对水质问题非常关注。他们认为水质较差是在淡水产品养殖经营过程中面临的主要困难。其中，认为该指标困难程度在 3 分及以上养殖户共有 198 户，占比为 72.79%。他们认为水质条件是淡水产品养殖的主要风险来源。其中，认为该指标风险较大和风险很大的养殖户共有 130 户，占比接近一半。为了降低经营风险、解决经营困难，他们希望可以引进水质管理方面的技术。在被调查者中，比较希望和非常希望引进相关技术的养殖户共有 183 户，占比为 67.28%。对水质管理相关技术他们是非常看好的，在被调查的养殖户中，认为该指标比较重要和非常重要的养殖户共有 174 户，占比为 63.97%。除了对技术方面非常重视与渴求外，养殖户也非常信任政府，期望政府可以采取措施帮助他们保护水质。在被调查的养殖户中，共有 174 户表示比较需要或非常需要政府解决保护水质的难题，这部分养殖户占比超过 60%。

（二）政府对养殖新技术的鼓励措施增强了养殖户对新技术、新品种的采纳意愿

除收入满意度负向影响新品种采纳意愿外，当地政府针对淡水产品养殖采用新技术的鼓励措施、技术培训，以及参加渔业保险均显著正向影响新品种采纳意愿，这表明新品种相较于已有的品种而言，由于不确定因素较多，具有更高的风险，而保险则是抵御风险的有效措施，因此参与渔业保险正向影响新品种采纳意愿。但是通过回归分析发现，技术培训以及当地政府针对采用新技术的鼓励措施也显著正向影响新品种的采纳意愿。这说明技术和品种之间高度相关，新品种的采纳意愿离不开相关的技术支持，因此在推广新品种时一定要加强相应的技术支撑，加大培训力度。回归分析发现，当地政府的苗种补贴政策对新技术采纳意愿的影响不显著，这说明在推广新品种时，与其直接提高对苗种的补贴，不如间接提供技术支持，加强鼓励和培训。

综上，要想提高养殖户的新品种采纳意愿，当地政府就应该加大对新技术采用的鼓励扶持力度，增加培训次数，并且大力推广渔业保险。而在之前的调研中发现，参加渔业保险的养殖户并不是很多，最主要的原因是养殖户不理解渔业保险的内容，其次是渔业保险对降低风险帮助不大和理赔操作困难。此外，赔偿额度有限和不相信渔业保险也是影响养殖户参与渔业保险的主要原因。因此，提高养殖户参与渔业保险的意愿，政府

可以加强以下几方面的工作：①加大渔业保险的宣传、推广力度；②加快渔业保险立法步伐；③积极构建政策性渔业保险制度；④引入商业再保险模式；⑤切实提高渔业保险队伍的素质。

（三）养殖过程中药物使用有待监管

调查结果表明，养殖户认为使用药物会影响淡水产品的质量安全，拥有这样认知的养殖户超过50%。其中，比较同意这一说法的养殖户有108户，占被调查养殖户的39.7%；非常同意这一说法的养殖户占被调查养殖户的12.9%。虽然他们认为使用药物对淡水产品质量安全产生威胁，但特殊情况下还是不得不使用药物，如发生病害的时候。40.1%的养殖户比较同意“发生病害时一定用渔药”的说法，还有11%的养殖户表示非常同意这一说法。那么是否有办法减弱使用渔药给淡水产品质量安全造成的威胁呢？接近一半的养殖户认为是有的。他们认为如果使用的渔药是正规的，是可以确保淡水产品的质量安全的。其中，比较同意“使用正规药物就能保证淡水产品的质量安全”的说法的养殖户占33.1%；非常同意这一说法的养殖户占16.2%。对于使用药物是否能保证产量，养殖户的分歧很大。同意“使用渔药是保证产量的必要手段”的说法的养殖户约占30%，不同意这一说法的养殖户也约占30%，还有约40%的养殖户对这一说法的认知模棱两可。

华中五省的淡水产品养殖户都赞同在发生病害时一定要使用渔药，他们承认使用渔药会影响淡水产品的质量安全，但如果使用正规药物是可以削弱这一威胁，达到保证产品质量安全的目的。而对于“使用渔药是保证产量的必要的手段”的说法，他们是不怎么认可的。与各种认知的总体水平相比较，湖北省和江西省关于“使用渔药是保证产量的必要的手段”的说法的认知高于总体平均水平；江苏省和江西省关于“使用渔药会影响淡水产品质量安全”的说法的认知高于总体平均水平；湖北省和江西省关于“发生病害时一定用渔药”的认知高于总体平均水平；湖北省和江西省关于“使用正规渔药就能保证淡水产品质量安全”的说法的认知高于总体平均水平。

第五节 华中地区耕地重金属污染防治情况调查

一、湖南省土地重金属污染现状

（一）整体情况

湖南省农产品产地土壤pH平均为5.83，呈微酸性，阳离子代换量均值为12.27cmol(+)/kg。土壤重金属污染主要是镉，点位超标率为67.9%；其次是砷和汞，点位超标率分别为6.4%和5.1%；铅和铬污染轻微，点位超标率在0.6%以下。全省农产品产地土壤重金属污染程度以湘江流域（永州、湘潭、娄底、衡阳和郴州等市）为最高，其次是资水（益阳市和邵阳市）、澧水（常德市、张家界市）和沅江流域（怀化市、湘西土家族苗族自治州），而洞庭湖尾闾（岳阳市）相对污染较轻。土壤重金属污染主要分布于工矿企业周边农区和污水灌区。

（二）镉污染区域分布

湖南省农产品产地普查点位中，土壤镉含量 0.3～0.6mg/kg 的点位占 44.2%；镉含量 0.6～1.0mg/kg 的点位占 14.6%；镉含量＞1.0mg/kg 的点位占 9.1%。土壤镉含量＞0.3mg/kg（超标）点位超标率 67.9%，主要为轻、中度污染。

从行政区划上看，湘潭市、株洲市、娄底市、衡阳市、永州市、郴州市农产品产地土壤镉污染较重，点位超标率为 80.6%～86.9%，其中株洲市、娄底市、衡阳市和郴州市土壤镉含量＞1.0mg/kg 的点位超标率均在 10%以上；益阳市、邵阳市和张家界市点位超标率为 68.9%～76.2%；湘西土家族苗族自治州、怀化市、常德市、长沙市、岳阳市点位超标率分别为 56.9%、56.6%、44.8%、41.7%、36.1%。

从农产品产地所处区域类型来看，全省工矿企业周边农区土壤镉超标点位 12 496 个，超标率为 74.9%，超标面积 429.86 万亩，其中，株洲市、湘潭市、娄底市、衡阳市、永州市、郴州市、张家界市土壤镉超标率为 81.2%～92.3%，长沙市、益阳市、邵阳市土壤镉超标率为 72.3%～77.9%，常德市、岳阳市、怀化市和湘西土家族苗族自治州土壤镉超标率为 25%～66%。大中城市郊区土壤镉超标点位 2130 个，超标率为 50.9%，超标面积 73.27 万亩，其中，株洲市、湘潭市、衡阳市、永州市、怀化市土壤镉点位超标率为 83.3%～94.1%，岳阳市、张家界市和湘西土家族苗族自治州土壤镉超标率在 45%以内，其他市州土壤镉超标率居中。污水灌区土壤镉超标点位 6849 个，超标率 69.0%，超标面积 235.61 万亩，其中，湘潭市、娄底市和张家界市土壤镉超标率为 85.4%～97.3%，益阳市、衡阳市和郴州市土壤镉超标率为 78%左右，其他市州土壤镉超标率相对较低。一般农区土壤镉点位超标率为 59.0%，其中，娄底市和衡阳市土壤镉超标点位超标率为 85%，株洲市、湘潭市、永州市、郴州市土壤镉超标率为 72.1%～78.7%，其他市州土壤镉超标点位超标率相对较低。湖南省农产品产地土壤镉污染的可能来源主要是工矿废弃物排放与污水灌溉，其次是肥料等农用品投入。

（三）铅污染区域分布

全省农产品产地土壤铅超标（＞250mg/kg）点位 228 个，点位超标率为 0.6%。郴州市和湘西土家族苗族自治州土壤铅超标点位超标率较高，分别为 2.3%和 1.2%，其他市州土壤铅超标点位超标率均在 1.0%以下。

全省工矿企业周边农区土壤铅超标点位 156 个，超标面积 5.37 万亩，其中衡阳市、郴州市、永州市和湘西土家族苗族自治州土壤铅超标点位铅超标率较高，分别为 2.9%、3.3%、1.4%和 1.4%，其他市州土壤铅超标点位铅超标率均在 1.0%以下。大中城市郊区土壤铅超标点位 10 个，超标面积 0.34 万亩，仅株洲市和郴州市土壤铅出现超标现象，点位超标率分别为 1.4%和 2.4%。污灌区土壤铅超标点位 36 个，超标面积 1.24 万亩，其中，郴州市和湘西土家族苗族自治州土壤铅超标率较高，分别为 1.2%和 1.3%，而邵阳市和衡阳市土壤铅超标率不足 0.3%，其他市州基本未出现超标现象。一般农区中，仅有株洲市和郴州市土壤铅略有超标，点位超标率分别为 2.0%和 1.3%。

（四）湖南省土地重金属污染特点

一是重金属含量普遍超标。湖南是“有色金属之乡”，世界已发现的160多种矿藏中，湖南就有140多种，其中钨、锑、铋、锌、铅、锡等储量均在全国前列，开采历史长达2700多年。湖南有色金属全产业链的发展在为湖南带来巨大经济效益的同时也造成了严重的土壤重金属污染问题。在财政部办公厅和环境保护部办公厅共同组织的《关于开展重点区域重金属污染防治竞争性评审工作的通知》中，全国30个防治重点区域中湖南就独占11个，主要分布于有色金属矿产区和湘江流域，如长株潭区域、衡阳水口等矿区。根据2015年发布的《湖南省高标准农田建设规划》，湖南现有耕地中被重金属污染的耕地达25%。

二是多种有色金属共生。我国重金属污染主要集中在岭南矿带，湘江流域又是重灾区，其特点是多种有色金属共生，且属于贫杂系。由于富矿很少，选冶复杂，需要大量的选冶药剂，造成了有色金属和选冶药剂的复合污染，污染也就更严重。湖南的耕地土壤重金属污染严重，这与其有色金属采矿冶炼等全行业链的粗放发展不无关系。湖南有色金属多，但是品质较低，开采使用率不超过50%，伴生矿的使用率更低，仅达25%，导致废矿多，而选矿污水的处理不完善导致大量污水入河，从而导致河水和地下水受到污染。耕地使用受重金属污染的水体灌溉，导致耕地重金属污染严重。已有的研究报告显示，仅洞庭湖区耕地污染的重金属种类就有砷、汞、镉、铜、锌、镍、铬、铅等8种之多，其中最主要的是镉和汞（易凌霄和曾清如，2015；王月容等，2011）。

二、湖南省耕地重金属污染的防控措施

（一）清洁冶炼

为了从源头控制重金属污染，减少重金属排放，湖南省大力推行清洁冶炼法，下大力气淘汰关闭一批涉“重”企业。例如，研发推广常压富氧浸锌处理锌渣清洁生产、锌冶炼行业重金属污染控制处理技术；2010年以来，全省已累计淘汰关闭涉“重”企业1018家，其中湘江流域淘汰关闭878家。经环境保护部（现生态环境部）核定，至2013年底，全省工业废水中汞、镉、铅、砷、铬五种重金属因子排放较2007年削减了52.02%，扣除有色金属产业宏观产量增长导致重金属污染物新增量后，实际削减了11.94%。过去重金属污染严重的湘江干流水质明显好转，水体中汞、镉、铅、砷和铬的污染浓度分别比2010年下降了33.3%、22.2%、42.9%、58.3%和28.6%。

（二）“三废”回收利用

湖南省各高校、科研院所与企业致力于研发“三废”治理回用与重金属污染场地的土壤修复技术，取得了丰硕成果。由中南大学研发并通过产学研合作企业——长沙赛恩斯环保股份有限公司实施的生物制剂处理重金属废水技术，应用到株洲冶炼厂，每年可回收25t重金属。近几年，湖南有色金属行业加大了技术改造力度，2013年技改投入达到429亿元，同比增长23%，一批技术工艺先进的装备被采用。特别是针对湘江流域重金属污染综合治理，锡矿山闪星锑业有限责任公司联合湖南有色金属研究院等单位完成国家

863 计划“锑冶炼砷碱渣综合利用关键技术与示范”，通过了科技部验收，实现了砷碱渣中砷、锑、碱的综合回收利用，消除了砷碱渣对环境的危害。株洲冶炼集团开展的重金属废水零排放工程，产出的净化水达到生产用水质量标准，并且全部用于替代生产新水回用。

（三）污染场地修复

湖南省试点区进行污染场地修复的基本思路是根据重金属污染程度的不同实行分区治理，分区关注两个指标：稻米镉含量和土壤镉含量。对于稻米镉含量超过 0.4mg/kg 的耕地，土壤镉含量在 1mg/kg 以下的列为管控专产区，探索污染稻谷安全管控模式；土壤镉含量在 1mg/kg 以上的列为替代种植区，实行农作物种植结构调整，原则上不再种植镉超标的农作物。

2016 年，湖南省在试点范围内开辟了 26 个“VIP+*n*”修复治理技术模式千亩标准化示范片和 1 个万亩标准化示范片。“VIP”指采用低镉水稻品种（V）、淹水灌溉（I）和施用石灰等调节土壤酸度（P）组合的水稻降镉生产技术模式，“*n*”指施用土壤调理剂、叶面阻控剂、集中育秧、翻耕改土和病虫害统防统治等降镉修复技术手段。修复技术确立后，重金属污染耕地修复及农作物种植结构调整试点工作办公室（以下简称试点办）广泛征集耕地重金属污染修复治理新产品与新技术。试点办在管控专产区设立了 4 个 500 亩展示区，参展方需免费提供产品，统一开展田间试验与示范（相当于筛选“VIP+*n*”里面的“*n*”）。合理灌溉是为了阻止水稻对镉的吸收，必须从孕穗期开始实行淹水灌溉管理，保持田面水深 3～5cm，直至稻谷黄熟。提出 VIP 技术的专家们表示，酸性土壤会增加镉等重金属元素的溶解性和移动性，使其进入作物体内的可能性增加，通过施用生石灰可以提高土壤 pH，减少作物对重金属的吸收。湖南试点办在中轻度污染区域推行“VIP+*n*”技术，而在重度污染区域进行农作物种植结构调整，或者通过连续多年休耕，同时采取施用石灰、翻耕、种植绿肥等农艺措施，以及生物移除、土壤重金属钝化等措施，修复治理污染耕地。

三、农户对重金属及重金属污染风险的认知

（一）农户对重金属的认知

本研究重点考察农户对重金属污染风险及重金属污染治理的认知情况。首先分析农户对重金属概念的认知。对于全部样本农户而言，大部分农户并未听说过重金属污染的典型案例——湖南镉大米事件，未听说过湖南镉大米事件的农户占比高达 60.07%，只有接近 40% 的农户听说过镉大米事件。当然不同省份存在较大差异，其中在镉大米事件发生地——湖南，63.04%的农户听说过镉大米事件，而江西、江苏、安徽和湖北只有 30%～40%的农户听说过。这说明，除了湖南本省，其他地区农户对镉大米事件的知晓程度比较低。

进一步考察农户对重金属概念的认知情况。对于样本总体而言，53%的农户知道重金属的概念，但仍然有一半的农户并不清楚重金属的概念。分省来看，重金属污染较为突出的湖南省知道重金属概念的农户所占比例反而远远低于江西、江苏和湖北三个省份，只有 43.38%，而江西、江苏和湖北这一比例都超过了 50%。这一现象说明，尽管湖南省知道镉大米事件的农户比例最高，但并不是所有农户都将“镉大米”与重金属污

染联系起来。可见，对于农户而言，重金属的概念及重金属污染的严重性并不是十分明确。也就是说，在农户层面上，宣传和普及重金属概念及其污染风险的知识应该成为将来重金属治理的重要内容。作为防治重金属污染的基本单元，农户的意识和积极性是重金属治理措施顺利实施和达到预期效果的重要条件。

本研究还详细考察了农户对镉、汞、铅、砷等重金属的知晓程度。对农户而言，汞和铅的知晓程度远远高于镉，更高于砷。总体样本中，58.22%的农户知道汞是重金属，62.50%的农户知道铅是重金属，但只有32.34%的农户知道镉属于重金属，只有19.41%的农户知道砷是重金属。就不同省份而言，经济发达的江苏省知道汞和铅是重金属的农户比例远高于其他省份。受镉大米事件影响，湖南省知道镉是重金属的农户比例达到43.48%，高于其他省份，但仍然没有达到50%。

（二）农户对重金属污染风险的认知

对于总体样本而言，54%的农户听说过耕地中重金属污染的问题，另外46%的农户并未听说过耕地重金属污染的问题。分省来看，湖南、江西、湖北三省知道耕地重金属污染问题的农户占比超过了60%，而江苏和安徽这一比例不足40%。

关于农户是否听说过本地区耕地存在重金属含量超标的问题，72%的农户反映没有听说过本地耕地重金属含量超标的问题，只有25.6%的农户表示听说过本地重金属含量超标的问题。这一调查结果也比较符合我国的实际情况，中国地质调查局发布的《中国耕地地球化学调查报告（2015年）》显示，我国大部分耕地不存在重金属污染问题，因而被调查的多数农户未听说过当地有重金属污染的问题应该也是正常现象。当然，在“镉大米”曝光的湖南省，37%的农户听说过本地耕地重金属污染问题，另外安徽省也有40%的农户听说过类似的问题。听说过本地耕地重金属污染问题的农户中，60%的农户认为这一消息属实，而20%的农户不相信这一事情，另外20%的农户不清楚该事情是否真实。在湖南省和江西省，超过75%的农户认为污染事情属于事实。

四、农户对重金属防治措施的认知

（一）农户报告的当地重金属污染防治措施

从被调查农户的反馈意见来看，全部样本农户中有32户提到当地采取了一些耕地重金属污染治理的措施。其中，4户反映采取“撒生石灰中和土壤酸碱性”的做法，3户反映“调整种植结构，改种棉花以及其他作物”的做法，3户反映“休耕”的做法，2户反映“研发新技术、加大推广力度、调整种植结构”的做法，2户反映“减少化肥施用量”的做法，2户反映“‘VIP+*n*’修复治理模式、专企收购、专仓存”的做法，各有1户反映“清洁水源，暂停周围污染工厂”“关闭工矿企业”“统一收购，要求减少化肥施用量”“撒农家肥和草木灰”“补贴，加大政府资金投入”“优化水分管理、喷施叶面阻控剂”“轮耕、休耕、深耕，注意保护环境”“加大宣传力度，派技术人员随干部来村里”“对相关企业加强监管力度”“翻整土地，进行良田建设”“工程治理”“换种、石灰、休耕”“实行修复耕地，使用有机农药”“修建水利工程”“严禁电池等废弃物往田里扔”“组织人员进行管理”等防治措施。可见，农业农村部（原农业部）在湖南省开展的农田重金属污染治理试点措施（包括“VIP+*n*”修复技术、种植结构调整、污染稻谷管控等）都已经在个别农户层面有所体现。当然，绝大部分农户反映当地并未实施任何重金属污染治理的措施或者并不清楚有没有实施相关措施。

（二）重金属污染防治措施对农户收入的影响

从调查的耕地重金属污染治理对农户收入的影响反馈来看，全部样本中有 13 户农户表示不清楚耕地重金属污染治理对收入的影响，占全部农户数样本的 40.63%，说明相当一部分农民缺乏对重金属污染治理的了解。此外，有 8 户反映耕地重金属污染治理会减少收入，平均收入的变化大约为 870 元；也有 7 户表示重金属污染治理可以增加收入，收入的平均变化为 2829 元；还有一部分农户表示耕地重金属污染治理对农户收入影响不大，占总体样本的 12.5%。

（三）重金属污染防治措施效果的认知

根据调查，农户反馈了各种能降低稻谷重金属含量的措施的效果。关于种植新品种水稻的措施，大部分农户表示赞同，其中在总体样本中有 22.75%的农户非常赞同，有 38.20%的农户比较赞同，有 30.90%的农户对这项措施持中立看法，不确定种植新品种能降低稻米重金属含量，而不赞同这种措施的农户相对较少，仅占总体样本的 8.15%。从各地区的反映来看，江苏省有 40.24%的农户表示非常赞成这项措施；湖南省有 47.62%的农户赞成这项措施，同时也有 42.86%的农户对这项措施持中立的看法。连续的淹水管理也是降低稻谷重金属含量的方法之一，从农户的反馈信息可以看出，大部分的农户赞同连续的淹水管理，其中，15.02%的农户非常赞成这项措施，38.63%的农户比较赞成这项措施，但是也有 39.06%的农户不清楚这项措施的效果，持中立的看法。尤其明显的是，湖南省有高达 65.85%的农户对这项措施持中立的看法。除此之外，农户也表明了撒生石灰对降低稻谷重金属效果的看法，不同于前两项措施，农户对撒生石灰效果的认同程度更高一些，调查总体中高达 64.26%的农户表示赞成这种做法，表示中立的农户相对较少，占总体样本的 27.66%。除了上述列举的三项措施，农户也会采取一些其他措施来降低稻谷的重金属含量，从反馈的效果来看，总体样本中有 47.61%的农户赞成其他措施，同时也有 47.22%的农户保持中立，尤其是湖南省也有一半以上的调查用户对其他治理措施保持中立看法。从所有措施的整体评价来看，调查总体样本中有一半以上的农户赞同整体措施效果，其中，17.87%的农户表示非常赞同，35.75%的农户表示比较赞同，同时有 35.75%的农户保持中立看法。同样比较明显的是，湖南省有一半以上的农户对整体措施效果持中立看法，占该省样本的比例为 58.06%。

第六节 华中地区良田建设情况调查

一、良田建设的社会、经济、生态效益

（一）经济效益

为了全面测度中部地区良田建设的经济效益水平，以江西省、湖北省、湖南省、安

徽省及江苏省为研究对象，构建经济效益评价指标体系，评价指标包括农村耕地闲置情况、家庭收入情况、单位耕地收入情况、粮食作物产量情况和经济作物产量情况。

江西省土地整治后，首先每亩耕地的收入增加了，其次粮食作物产量也增加了，最后农村耕地闲置情况也变少了。江西省有 46.60%的农户发现他们村经过良田建设后，耕地都能够被很好利用，没有像以前那样被荒废了。有 60%的农户认为，土地整治带来最大的经济效益是单位耕地的收入增加了，同时也有 40.40%的农户认为家里的收入比去年增加了，而这主要来自务农的收入。土地整治过后，分别有 39.90%和 34.60%的农户发现粮食作物产量以及经济作物产量有所提高。

相较于江西省，湖北省土地整治后，首先经济作物产量增加了，其次粮食作物产量也增加了，最后农村家庭收入状况也由此转变了。湖北省有 51.90%的农户发现他们村经过良田建设后，粮食作物产量得到了很大的提高。与此同时，有 49.40%的农户认为土地整治后，经济作物产量也得到了很大的提高。由于各方面产量的提升，有 35.80%的农户家庭收入也有所提高。但是湖北省土地整治过后，分别只有 26.60%和 28.40%的农户认为农村耕地闲置情况和单位耕地收入情况有所改善。

可能由于地理上邻近，湖南省良田建设情况与湖北省大体相同。经过土地整治，粮食作物产量增加了，经济作物产量也增加了，由此单位耕地收入也开始提高了。湖南省有 60.90%的农户发现他们村经过良田建设后，粮食作物产量得到了很大的提高。与此同时，有 50.50%的农户认为土地整治后，经济作物产量也得到了很大的提高。

土地经过整治后，在农村耕地闲置情况上，安徽省与华中地区其他四个省份对比明显。在农村耕地闲置情况方面，安徽省有 51.50%的农户表示他们村的土地经过整治后，闲置情况得到一定的改善；江西和江苏两个省份分别有 46.60%和 43.50%的农户表示农村的土地全部被利用了；湖南省有 40.20%的农户表示所在地的土地都能很好地被利用；湖北省的农村耕地闲置情况还比较严重，仅有 26.60%的农户表示良田建设后，农村耕地全部得到了利用。

（二）社会效益

江西省土地整治后，首先农民去田里耕作变得更为方便了，其次农村里享受最低生活保障的人口减少了，最后城镇就业情况也改善了。江西省有 70.90%的农户发现他们村经过良田建设后，耕作条件得到较大的改善，如收割机能够开到地里去、农民能够骑摩托车到地里；有 58.20%的农户认为，土地整治带来最大的社会效益是享受最低生活保障的人口减少了，大伙能够自力更生；也有 49%的农户认为村民去城镇务工的人数也增加了。土地整治过后，分别有 22.10%和 10.60%的农户发现人均耕地面积增加了以及村里贫困人口数量减少了。

相较于江西省而言，湖北省土地整治后，首先城镇就业情况改善了，其次农村贫困人口减少了，最后农村耕作便利情况也由此转变了。湖北省有 60.50%的农户发现他们村在城镇务工的人数增加了；有 46.90%的农户认为土地整治后，农村贫困的人口数量减少了。由于各方面条件的提升，有 43.20%的农户耕作便利情况也有所提高。但是湖北省土地整治过后，只有 21%的农户认为人均耕地面积增加了和最低单位耕地收入情况有所改善。

与湖北省类似，湖南省良田建设情况与湖北省大体相同。土地整治后，首先村民在城镇务工的人数增加了，其次农村享受最低生活保障的人口减少了，最后村民的耕作条件改善了。湖南省有 55.20%的农户发现他们村经过良田建设后，村民去田里劳作的条件得到了很大的改善。同时，有 52.70%的农户认为土地整治后，村民去城镇就业的人数显著增加。湖南省的土地经过整治，51.60%的农户认为农村享受最低生活保障的人口减少了。但是良田建设后，仅有 29.40%的农户认为贫困人口减少了，以及有 22.70%的农户认为人均耕地面积增加了。

安徽省的土地经过整治后所获取的社会效益在中部地区是最明显的。首先安徽省的城镇就业情况得到较大的改善，其次村里享受最低生活保障的人口减少了，再次贫困人口数量减少了，最后耕作便利情况得到了相应地提升。安徽省有 82.90%的农户发现他们村经过良田建设后，村民在城镇务工的人数增加了。除了城镇就业情况有所改善，74.30%的农户认为村里享受最低生活保障的人口减少了。与此同时，有 58.90%的农户认为土地整治后贫困人口减少了；有 57.20%的农户认为村民去田里劳作的条件得到了很大的改善。但是只有 20%的农户认为良田建设后，村里人均耕地面积增加了。

土地整治后，江苏省也取得一定的社会效益。首先村里贫困人口减少了，其次村里享受最低生活保障的人口减少了，最后农户耕作条件和去城镇就业的情况也有所改善。调查显示，江苏省有 57.70%的农户发现他们村经过良田建设后，贫困人口减少了。同时，47%的农户认为土地整治后农户家庭劳作的条件有所改善，且 43.50%的农户认为享受最低生活保障的人口减少了。由于江苏省属于沿海省份，农户就业机会比较多，因此良田建设对农户去城镇就业以及人均耕地面积影响并不是很大。

（三）生态效益

江西省土地整治后，首先绿化覆盖情况改善了，其次鸟类数量增加了，最后蜻蜓的数量增加了。调查显示，江西省有 70.90%的农户发现他们村经过良田建设后，绿化覆盖情况大大改善了；有 54.40%的农户认为，土地整治带来的最大的生态效益是鸟类数量增加了；有 51.90%的农户认为村里蜻蜓的数量增加了。土地整治后，农户发现蝴蝶数量（42.70%）以及昆虫数量（38.50%）增加了。

湖北省土地整治后，首先生态环境情况改善了，其次农村绿化覆盖情况改善了。湖北省有 56.80%的农户发现他们村的生态环境改善了。同时，分别有 35.80%的农户认为土地整治后，农村的绿化覆盖情况改善了，昆虫数量有所增加。由于各方面条件的提升，有 34.60%的农户认为鸟类数量有所增加。

与湖北省类似，湖南省良田建设情况与湖北省大体相同。土地整治后，首先农村绿化覆盖情况有所改善，其次农村生态环境也开始好转了，最后村里的鸟类和昆虫数量都开始增加了。湖南省有 50%的农户发现他们村经过良田建设后，村里的生态环境开始好转。同时，有 49%的农户认为土地整治后村里绿化覆盖面积增加。除此之外，农户也认为村里的鸟类数量（48.40%）和昆虫数量（40%）增加了。其中，有 41.50%的村民发现农田里的蜻蜓数量增加了，有 41.10%的村民发现农田里蝉的数量增加了，有 40%的村民发现农田里的蝴蝶数量增加了。但是只有 28.40%的农户认为良田建设后青蛙的数量增加了。

安徽省的土地经过整治后也获得了一定的生态效益。土地整治后，首先生态环境情况有所改善和青蛙数量有所增加，其次昆虫数量也开始增加了，最后村里的鸟类开始增加了。调查显示，安徽省有 62.90%的农户发现他们村经过良田建设后，村里的生态环境开始好转。同时，有 54.30%的农户认为土地整治后，青蛙数量显著增加。此外，51.40%的农户认为村里的昆虫数量增加了，34.30%的村民发现农田里的蝴蝶数量增加了以及农村绿化覆盖面积增加了。但是只有 31.40%的农户认为良田建设后蝉的数量和蜻蜓的数量增加了。

土地整治后，江苏省也取得一定的生态效益。首先农村生态环境有所改善，其次农村鸟类数量开始增加了，最后村里的青蛙数量和昆虫数量都开始增加。

二、良田建设面临的困难

对华中五省的农户进行问卷调查发现，华中地区在良田建设方面还存在很多困难。首先是资金方面的困难，主要体现在开展良田建设的资金不足、资金的使用过程中缺少相应的监督，以及存在资金挪用和贪污腐败的现象。具体来说，超过 70.90%的农户同意或非常同意开展良田建设中资金不充足；只有 17.94%的农户认为资金监管没有问题，41.52%的农户持中立态度，40.54%的农户认为良田建设资金使用过程中缺乏必要的监督；同意或非常同意良田建设中资金被挪用以及存在贪污腐败现象的农户比例分别达到 34.8%和 37.99%，大部分农户持中立态度。

其次，在良田建设的执行过程中，超过 54.77%的农户认为村干部没有切实起到加强对良田建设的管理作用，只有 23.78%的农户认为良田建设中村干部的做法合理，其余大部分农户或中立或同意村干部作风太过强硬（这也是华中地区良田建设的困难之一）。超过 43.38%的农户指出，过分分割的田块不利于土地整治。

种种困难也导致了农户在良田建设中缺乏动力，45.59%的农户对此同意或非常同意；37.99%的农户持中立态度，表示愿意跟随大多数农户的选择；只有 16.42%的农户在较为积极地开展良田建设。虽然有 29.41%的农户认为良田建设为时过晚，但大部分农户都表示良田建设的开展是很有必要的。

三、良田建设存在的问题

（一）农民对良田建设政策不了解

调查中，72.38%的被调查者表示自己对国家的良田建设政策不了解，对村里良田建设的做法不清楚。少数村民表示自己没有听说过这个政策；大部分村民知道这一政策，但不知道具体是怎么操作的；村干部发挥作用的途径主要是用高音喇叭说一下，哪家听到了，哪家没有听到，哪家愿意开展良田建设，哪家不愿意开展良田建设，哪家在良田建设中遇到了什么困难，村干部并不了解，更谈不上找出解决困难的办法。农民对于国家政策的了解是很渴望的，但限于信息获取的渠道有限，获取到的信息有限，农民对于多宣传国家政策的期望是很高的。

（二）资金使用不透明

在调查中，很多群众反映良田建设的资金存在挪用的问题，良田建设的资金真正用到良田建设上的并不多，国家的钱并没有实实在在地用在老百姓身上。80.36%的被调查者认为资金层层盘剥，到农民这里就没剩多少了。进一步调查发现，大部分的被调查者认为良田建设过程中有腐败的现象，良田建设后村干部的生活更奢侈了、村主任家门口的路修得更好了，但是开展灌溉工程建设、修通往田地中的道路缺乏资金等，这也从侧面进一步印证了这一问题。

（三）良田建设缺乏专家指导

在调查中，65.98%的被调查者表示良田建设缺少专业的技术指导。农民参与良田建设的积极性是最强的，只要收入提高，农民就会积极把地种好。很多时候，农民“面朝黄土背朝天”地辛勤劳作，效果并不好，因为可能缺少有效的方法。这个时候，如果能有专家教农民怎么做，比如什么地该整、什么地不该整、什么地怎么整比较好、什么时候注重什么病虫害的防治、什么时候该让地力修复等，方法对了，效果可能就会好很多。在调查中，农民也表现出对专家的渴望、对培训的期待，但是农民自己认识的专家并不多，农民能够问到的专家更少。

（四）由于资金缺乏，农户的积极性还没有完全被调动

在良田建设的过程中还面临着多方面的困难，但最主要的还是农户自身的困难，特别是资金对良田建设的影响。因此，之后的良田建设要多从农户的角度出发，特别是各级政府要想办法充分调动农户的积极性，使他们打心底里接受并愿意参与良田建设，从而推动华中地区良田建设工程的顺利开展和实施。各地区的土地分割及村干部作风问题也是影响华中地区良田建设的重要因素，各地区要有针对性地开展专项工作，切实保证良田建设工程的顺利开展。

（五）农民注重短期利益，对于良田建设的满意度较低

华中地区农户对良田建设的认知主要集中在经济收入等方面。通过分析可知，由于对国家良田建设政策和当地土地整治做法的不了解，导致农户过多地重视良田建设的短期利益，对良田建设工程的满意程度较低。但是良田建设工程，特别是一些典型地区的土地整治工程是一个相对长期的活动，因此在之后的良田建设工程执行过程中各级政府及当地的村干部要加强宣传和解释，从而提高农户对政策的了解，以便更好地开展之后的良田改造工作。

（六）良田建设的资金没有真正落到实处

大部分地区的良田建设情况较好，补贴资金都用在了农村改造建设中，但直接对良田建设资金进行均分的情况也占了很大一部分比例，村干部贪污腐败的情况也是时有发生。因此，要想更好地开展良田建设工程，在之后的工作中要着重抓监督工作。每个地区要分别派遣资金使用情况监督员，并且责任到人，同时每3个月实行轮换制，切实保

证每名监督员都是公平公正地进行良田建设的资金监督工作，从而保证国家的资金补贴真正用到实处。

（七）政策“一刀切”，没有因地制宜

国家关于良田建设的政策并不适用于所有地区，在某些地区可能要与当地的政府部门共同制定适合当地的良田建设政策。与此同时，各级政府要加大对农户的宣传工作，让农户真正了解到国家关于良田建设的方针政策及扶持补贴，使农户真正做到心中有数。政策执行过程中的监督也是保证良田建设资金真正发挥效用的有力措施。因此，在之后的良田建设工作中国家要切实起到监督作用，并且把责任落实到部门，甚至落实到个人，明确良田建设工程的负责者与推动者，从而保证良田建设工程的有序开展。对于农户反映的没有专家指导，不知道怎么建设的问题也应该引起各部门的注意，应积极选派相应的专家对农户进行指导，从而不断推进良田建设工程的顺利开展。

第七节　华中地区新型经营主体情况调查

一、调查对象的基本情况及生产经营特征

（一）土地流转

土地在农业生产要素当中位于最重要的位置，土地要素的投入在水稻种植过程中意义重大。受访水稻种植大户中，经营土地面积最少的是 30 亩，最多的是 800 亩，平均每户经营土地 59.84 亩，水稻种植大户的经营规模参差不齐。

从土地来源上看，租赁的比例最大，高达 45.10%；其次是通过“反租倒包”[①]、转包[②]的方式流转的，分别占总量的 36.86%、18.04%。这表明，我国土地流转的模式愈加多样化，土地交易市场也在日益完善，多种流转方式满足了水稻种植大户对土地的需求，一定程度上缓解了土地粗放经营和抛荒的问题。

（二）经营意愿

从种植大户经营意愿来看，绝大多数农户三年内不考虑增加水稻种植面积（占 74.51%），在受访者中对“您不想增加水稻种植面积的原因”这一问题的回答中，因为“缺少劳动力、资金等要素”的原因而不考虑扩大规模的占比达 54.80%，是所有原因中占比最大的。“自然灾害带来的损失增加”和“水利等基础设施差”也是两项重要的原因，22.88%的种植大户认为预期市场价格降低，种植风险变大。还有 48%的受访者认为水稻种植的成本在上升，利润在下降。统计发现，劳动力和资金等生产要素制约了种植大户扩张的意愿，农村基础设施落后的弊端也不容忽视，同时重大的自然灾害严重损害了种植大户的生

① “反租倒包”指的是村委会将承包到户的土地集中到集体，由集体经济组织统一规划开发之后，倒包租给有经营能力的大户，接包方再向集体缴纳租金。

② 转包是一种自发流转模式，指的是在发包方同意的情况下，在承包期内将全部或部分土地流转给第三方从事农业生产，转包费用自行协商。

产积极性。

另外，在受访者中有 5%的种植大户想要扩大种植规模，有 22.3%的种植大户想要继续维持现状。在中央和地方各级政府出台免征农业税、粮食直补、农机具补助等一系列政策背景下，仅有少部分种植大户的积极性不断高涨，有扩大规模的愿望，但由于粮价波动、农资和土地流转费用的攀升，也让不少种植大户仍然持观望态度，不敢贸然扩大规模。在对“您希望增加水稻播种面积的原因”的回答中，“当地灌溉等农业基础设施完备，单产增加”是所有原因中占比最大的（达 64%），其次是“获得耕地容易”和“扩大规模可以得到更多的政策支持”这两个原因，均占到 48%。因此，吸引种植大户扩大规模的主要因素集中在基础设施、农地流转难易度和政策扶持这三个要素上。

（三）销售途径

通过调查发现，粮食收购商贩收购是目前水稻种植大户销售粮食的主要渠道，种植大户选择商贩销售途径的偏好比例达 72.55%。其中的原因主要包括：第一，在水稻种植的主产区收购商贩的数量大，而且来源广泛；第二，收购商贩的数量大在一定程度上扩大了当地粮食的销售规模及市场规模；第三，水稻种植大户和商贩交易的主要优势是交易方式比较灵活，而且交易成本较低；第四，水稻种植大户和商贩进行的是多次重复的交易，交付双方都注重交易信用的培养。古尔旺（Goulven）2001 年提出，交易的重复进行可以促进信任的培养。良好的声誉可以促进信任的产生，粮食商贩进行收购的时候，身份是公开的，如果出现欺瞒价格或者拖欠货款等现象，会直接影响到重复交易，使其信誉丧失。水稻种植大户极重视交易经验和买方的信用，信任可以降低不确定性，进而降低交易的成本。

（四）市场信息的获取

水稻种植大户首先考虑通过看当地市场行情来获取销售信息，占有效样本数的 70.98%。选择了解当地的市场信息的主要原因是广泛搜寻销售信息会给种植大户带来较高的成本，或者可操作性不强。农户更倾向于选择亲自去当地市场了解搜寻重要的售粮信息。其次是商贩报价这个途径。这可能是因为水稻种植大户和商贩的谈判能力增强，懂得从市场博弈中获得有效信息，付出较低成本即可获得市场的基本信息，且信息的传播速度快、时效性强。听周围人的宣传作为获取信息途径的补充，之后才选择参考政府部门发布的信息。与同村种植农户议论或向同村种植农户打听市场信息可以有效地降低成本，并且农户之间信任度较高，获取的信息可靠性较强。政府作为市场信息的不完全调控者，在市场信息提供上作用不够显著，这可能是因为政府提供信息服务的职能尚不完善，信息的时滞性较强，加之政府相关部门的工作人员对市场信息的变化不够敏感，所以农户不够认可政府所公开发布的市场信息。

（五）经营绩效

调查水稻种植大户共 255 户，亩平均产量为 673.4kg，亩平均产值为 1643.1 元，亩平均净产值为 1096 元，亩平均净利润为 668.9 元，单位产品净产值为 1.6 元/kg，单位产品净利润为 1.0 元/kg；每亩劳动用工成本为 187.7 元，每亩现金收益为 159.9 元，总投资收益率为 92.3%，总投资利润率为 68.7%。

二、调查对象生产经营存在的困难

水稻种植大户面临的最大困难是缺乏技术指导。种植技术水平的高低直接影响粮食规模经营程度，同时也影响规模经营效益的好坏。种植大户大多数没有接受过系统的专业培训，对农业新技术知之甚少，科学种粮的水平很低，对种植技术很难有新的想法和突破，迫切地希望专业农技人员给自己一些技术指导和帮助，使自己能够进一步节约生产成本、提高生产效率。第二大困难集中在自然灾害所造成的巨大损失。农业本身的脆弱性让种植大户承受着巨大的生产压力，巨大的天灾可以在一瞬间形成破坏力，让种植大户的努力付之一炬，农民饱受在自然灾害面前的不堪一击之苦，所以产生了巨大的心理阴影。第三大困难是水利设备不够完善。水稻种植对当地的水利设施有一定的依赖性，灌溉不畅或要水无水误工误时。完备的水利设施是农户规模化经营的基本保障，设施老化一方面会降低农户规模化种植的积极性，另一方面也增加了水稻种植的灾害风险，无形之中给种植大户增加了损失的概率。其他的困难集中在种植成本的部分，主要是农业机械化程度低、劳动用工成本高质量低和农资价格高。机械化程度是农业生产效率的重要保障，特别是对种植大户而言，规模化对机械化有更多的需求，以此才能有效降低成本，节约劳动力。市场化、商业化的推进和发展，劳动力和农业生产资料的价格都不断攀升，直接增加了种植大户的生产成本，导致农户种粮收益得不到保证。

第八节　湖北省孝感市春晖集团调查

一、基本情况

春晖集团下辖湖北春晖物流股份有限公司、孝感市伟业春晖米业有限责任公司、孝感市伟业春晖万丰米业有限责任公司，是一家农业产业化国家重点龙头企业。2010 年以来，集团按照“龙头企业+合作社+家庭农场（基地）”的模式，积极探索不同农业新型经营主体之间的“混合制”，通过大力开展农村土地流转，组建农业合作社群，发展家庭农场，让家庭农场负责农产品种植“产中”环节，合作社负责生产资料供给、生产标准制订、职业农民技术培训等“产前”环节，企业负责农产品加工、品牌创建、市场开拓、销售服务等“产后”环节，打造以农（副）产品为主的农业科技全产业链，实现了有效地对接，形成了共赢的格局，被称作“春晖模式”，并被誉为“现代农业一面旗”。

通过近几年的不断摸索和调整，集团以三汊基地为核心，改变以往企业大包大办、粗放式发展道路，重点打造“家庭农场”精耕细作经营模式，已然取得一定成效。截至目前，三汊基地共流转土地 6400 余亩，引进家庭农场主 16 户，主要种养种类包括水稻、小麦、油菜、草莓、葡萄、红莲子、苕尖、苗木、小龙虾等。2015 年三汊基地种养面积达 4800 亩，其中，传统经济作物种植面积 2000 亩，瓜果蔬菜种植面积 1400 亩，花卉苗木种植面积 1200 亩，水产养殖面积 200 亩，全年生产总值达 1248 万元，每亩产值 2600 元，较之品种单一、大规模经营的模式，“家庭农场”精耕细作的经营模式每亩产值增加 900 多元。

春晖集团是一家集粮食种植、收购、储存、加工、贸易和优质稻种子研发，以及农副产品物流于一体的国家级农业产业化重点龙头企业，下辖 20 个生产经营和科研单位，总资产过 10 亿元，拥有员工逾千人。2011 年，集团实现总产值 40 多亿元，带动农民增收 6000 多万元。

二、经营模式

（一）以股份合作社为依托，盘活农村土地资源

其一，土地入股。2016 年元月，集团下属孝感市伟业春晖米业有限责任公司（以下简称春晖米业公司）与三汊镇龙岗、同昶、彭桥、东桥等 4 个村的村集体以及 699 户农民共同组建并成立了湖北龙岗土地股份合作社，省农业厅、省经管局和市政府领导为合作社揭牌。按照“农户保底又分红、公司参股不控股”的原则，4 个村的村集体和村民分别以机动地经营权、承包地经营权折资入股，入股土地共有 6000 多亩，占合作社总股本的 51%；春晖米业公司以 100 多台先进农机具入股，占总股本的 49%。龙岗村基本实现整村土地流转，其余 3 个村部分土地流转。合作社经营期限为至 2028 年第二轮农村土地承包期结束。

其二，农业“联姻”。在经营管理上，合作社负责重大经营决策及资产发包管理，春晖米业公司负责生产经营。在利益分配上，采用“B（保底租金）+X（盈余分红）”的模式，村民成为股民，农民变成农工。参加合作社能够拿到“六金”：一是租金，每亩 360 斤[①]中籼稻的价钱；二是薪金，一天 100 元的劳动报酬；三是管理金，田间管理员每月 1500 元工资；四是股金，年终按股分红，只进不出，不担任何风险；五是补贴金，国家发的所有补贴都归农民；六是机金，有农机设备的加入合作社，收入更高。2012 年，在遭受旱涝两次灾害的情况下，合作社仍获得较好收成。农民每亩领取租金 450 元，股金 45 元，补贴金 141 元，共计 636 元，比上年增加 69 元。同时，龙岗村集体也收益约 8 万元，同比增加 3 万元。

其三，职业管理。合作社聘请春晖集团董事长为职业经理，负责经营管理，组织日常生产。集团专门创建湖北春晖农业科学技术研究院从事农业科研开发，并聘请专家担任顾问，招聘农学专业毕业生进行技术指导，同时返聘 20 多名入股农民开展农业生产，实现经营团队职业化、生产技术现代化，力求管理效益最大化。

其四，规模经营。集团自筹资金，大力实施土地整理工程，对入股土地统一建成 30～50 亩一块、机耕路配套、沟渠相连、旱涝保收的高产农田。2017 年初，集团已投入 7600 万元，整理土地 5000 多亩，新增实用可耕地 15%左右。同时，对于基地内农民暂不愿流转的土地，集团拿出最好的田地与之进行置换，确保基地集中连片种植。

其五，转移农民。集团不忘企业责任，积极回报社会，先后安排 518 名村民到下属

① 1 斤=500g，下同。

各公司和农业合作社打工，帮助317名农民到外地务工经商。同时，兴办春晖集团敬老院，对土地流转地方75岁以上的老人全部实行免费供养，受到当地群众的欢迎。近年来，集团还积极向社会捐款捐物，总价值达400多万元，共资助孤寡老人、孤残儿童、特困学生和灾区群众100多人次。

在土地股份合作基础上，公司结合各地实际，尊重农民意愿，进一步健全完善长期性租赁、股份制合作、季节性托管（秋冬播）三种模式，不断扩大土地流转面积，壮大粮食生产规模，目前已在孝感市累积流转土地近10万亩。

（二）以农机合作社为支撑，打造标准生产模式

按照"标准高、机械全、技术新、规模大、实力强"的目标，高起点规划建设湖北春晖农机专业合作社，着力打造中部领先、全国一流的农机合作社。目前，已形成以三汊总社为核心，下辖孝南区朱湖农场、朋兴乡、安陆市、云梦县、大悟县5个分社的发展格局，现有社员总数212人，拥有各类农业机械886台（套），总社建有占地80亩的农机场院、1200m^{2}的办公大楼、400m^{2}的农机修理中心和农机配件超市、机车停放库棚、燃油储备点、员工食宿等配套设施，总资产达5000多万元，成为全省规模最大、设施最全的农机合作社。农机专业合作社一方面对流转土地实行"七个统一"（即统一种子、统一育秧、统一机耕、统一机插、统一机防、统一灌溉、统一机收）管理，明确按亩产1100斤的标准，超产部分的60%由合作社所得，40%为企业所得；另一方面，以优惠的价格和高标准作业质量，为集团"订单农业"基地提供农机社会化服务，有力地促进了水稻标准化种植、农业化生产和集约化经营。2011年，合作社创作业服务收入1100余万元，累计帮基地农户节本增收4000多万元，被省农业厅、省农机局树为"现代农业标杆"，在全省推广。

（三）以管理合作社为纽带，广泛发展"订单农业"

集团还通过大力推行"四提供、一回收"（提供种子、提供测土配方施肥、提供种植技术、提供病虫害防治、保价回收成粮）服务模式，与广大农户建立起利益联结机制，发展"订单农业"达39.5万亩。组织发动广大农户先后成立了香稻、糯稻、农资等专业合作社，专门从事生产管理、农资发放和粮食代收，全程实行"八个统一"（即统一机耕、统一育秧、统一机插、统一施肥、统一管水、统一机收、统一代购、统一结算），切实让订单农户农资有来源、生产有计划、技术有指导、质量有保证、销售有渠道、收入有增长，改变了原来单家独户分散经营的市场弱势地位。合作社聘请农民做田间管理员，每个田间管理员负责200～300亩田地，每月拿管理工资1500元，每天还发9元钱的误餐补助，均由收购公司承担。合作社对订单农户所有的统一性服务都不当时收取现金，待秋后收购粮食时统一扣除，并且所有服务的农资、农机价格都比市场优惠，而粮食收购价格则高于市场5分钱至1角钱。若收购时的产量达不到最低标准，农民可找合作社理赔，如果收购的价格低于市场价，农民可以拒售合作社，并且可以拒付生产开支。这些条款让所有订单农户吃了"只赚不赔、风险全无、多头得好"的"定心丸"，农民衷心拥护、积极参与，人人都说好。

第九节　湖北省天门市华丰农业专业合作社调查

一、基本情况

天门市华丰农业专业合作社组建于2006年，于2009年正式登记注册，是以水稻种养结合、加工流通全程机械化生产为主，涵盖种植养殖加工、机械耕整、育秧、插秧、植保、收获、挖掘及农田水利建设等的农业专业合作社。

合作社的前身为2006年组建的天门市石河农机服务队。队长吴华平通过变卖家产和借贷的方式筹集资金，联合邻村几位有农业机械的农户成立农机服务队，从事农机服务。由于当时的农业机械质量不高，使用过程中经常发生故障，工作效率低下。并且农机队的队员只会操作，缺乏农机维修的技术，农机服务队没有获得理想的收益。导致14名农机手中有9名退出，只有5名愿意坚守。2007年，在反省总结之后，农机服务队成员认识到自身的缺陷，所有成员远赴江苏东洋插秧机厂，潜心学习插秧技术和插秧机维修技术。学成归来后，农机服务队对周边农机户免费进行了培训，对有意愿的农机户连人带机械一并吸纳进农机服务队，壮大了农机服务队队伍，提高了农机服务队的服务能力。农机服务既方便了农民耕作，又减轻了农民的劳动强度，同时也增加了农机手和农机服务队的收入。2007年《中华人民共和国农民专业合作社法》颁布，队长吴华平在认真学习了《中华人民共和国农民专业合作社法》后，找农机服务队队员商议，并召开成员大会协商合作社章程，选举产生了合作社理事会、监理会，会议还选举吴华平为理事长。2009年4月，天门市华丰农业专业合作社在天门市工商行政管理局登记注册，正式挂牌营业。

经历十余年的发展，社员人数由最初的5人发展到现在的268人，其中党员18人，常年聘用人员54人（其中，返乡农民青年20人，大学生村官4人，高级农艺师1人，法律顾问1人，会计师1人）。合作社拥有农机总装备460台（套），其中大中型机械216台（套），小型机械226台（套），挖掘机4台，打井机械10台（套），截至2014年，合作社固定资产已达到1.2亿余元。2016年，合作社流转土地面积8.6万亩，全年机械作业面积达80万亩次，种植生产的水稻、小麦、油菜总产量1.8亿余斤，产值达到2.3亿元；经营收入4800余万元，社员人均收入超过8.5万元。在农业产业化上，合作社以“农民自建”的模式完成2万亩国土整治项目，加快了粮食大宗作物规模化、机械化种植的步伐。在农业现代化上，合作社建立了院士工作站、智能农业工作室和全程视频监控系统，大力发展现代智能农业。在农村社会化服务上，合作社以镇、村、社一体化为抓手，启动了以合作社为经济载体，占地面积200亩、建筑入住360户配套设施齐全的新型农村社区建设，全面完善了农村社会化服务体系；在推动合作社迈向现代农业产业化的道路上更进了一步。

二、经营模式

2013年，合作社创新的“华丰模式”受到了湖北省委、省政府的肯定，并在全省进行推广。合作社对内实行“五统一、一公开”：一是统一决策。合作社投资方向、生产经营范围、利润分配方案等重大事项，由理事会提出议案，交由成员大会进行表决，统一进行决策。制定了一系列的管理制度，保证合作社的正常经营和社员的合法权益。二是统一生产。对全程承包的耕地，种植种类由合作社根据市场行情，制定作业质量标准和产量目标，一般以“小麦-中稻”种植模式为主；对部分环节承包的耕地，则以“油菜-中稻”或“早稻-晚稻”模式为主。三是统一调度。合作社对机手、劳务、车辆、机械实行统一调度，确保机械的整修、人员的轮训不误农时。对各类劳务、机械用工情况建立台账，作为成本核算依据。四是统一价格。合作社购销生产资料，以及对外收取机械作业费用的价格，由理事会根据市场行情，采用团购的模式统一确定。五是统一核算。合作社所有收支纳入财务统一管理，由合作社财务部门统一结算。六是分配公开。收益分配实行“股份收入+工资+返还”的模式。

第四章　总结、展望与建议

第一节　华中地区食物安全的重要发现

以下总结的调查数据与结论，主要反映华中地区食物安全方面存在的不足与问题，以探索解决华中地区食物安全问题的根本之道，但这并不代表华中地区食物安全方面没有取得显著的成绩。相反，华中地区用全国17%的耕地提供了全国24.1%的粮食，这本身就是了不起的成绩。

一、水稻种植的重要发现

通过问卷调查与深度访谈，我们发现当前华中地区水稻种植存在“两低、三弱、三突出”等八大问题。

（一）水稻种植收益低

被调查的水稻种植户反映水稻种植收益每年仅为1025元/亩，远低于当地平均收入水平，因此有46.11%的农户对此感到不满意。

（二）水稻种植积极性低

由于水稻种植收入低，绝大部分的受访农户（91.61%）没有扩大水稻种植规模的意愿，缩小种植规模、甚至放弃生产的农户比例达到29.27%。而那些扩大水稻种植规模的农户也主要是出于扩大规模能得到政府支持的原因，并非因为大规模种植水稻有利可图。

（三）水稻生产基本条件弱

水稻生产基本条件存在如下问题。①农田地力普遍下降。体现为耕地有机质含量降低，板结化严重，污染问题突出。②农村水利设施年久失修现象普遍。体现为水乡地区水稻没有灌溉用水，干旱严重，水利设施（电排站、沟港渠）年久失修，以及千家万户带来的管理问题（用水顺序、水费收缴、用水浪费）。③水利设施管理不到位。体现为近年来投入水利建设的经费挪用严重，水利建设工程管理混乱，质量很差，有的甚至是面子工程，农民得到的实惠少。

（四）水稻种子产业发展弱

具体体现在如下几个方面。①水稻品种市场呈现“多、杂、乱”的现象。目前国内生产上推广的几百个杂交稻品种，新品种数量过多、缺乏规划，经销商控制市场力度大，真正的良种难以脱颖而出。②水稻良种推广不利。企业研发投入巨大，风险大，推广效果差，企业难以为继。③农民选择困难。目前国内市场缺乏标准性、权威性品种种子，农民无所适从，甚至不少农民倾向于自留常规稻种子。

（五）农业机械化发展弱

具体体现在如下几个方面。①农业机械普及率较低。以江西省为例，在全国普及插秧机的背景下，江西插秧机普及率仅为 20%；烘干机、收割机只有种粮大户才会购买。②现有机械不适于当地实际情况。在江西省南昌县，抓式插秧机导致水稻返青慢，不利于双季稻种植；拖拉机耕田和收割机都是大型轮式机械，会严重破坏田地的耕种层；大型机械不适合小块水田、丘陵地带崎岖地形的耕作。③农业机械没有一条龙配套。有种、收的机械，但是烘干、晾晒、储备、农产品加工的机械落后，种粮大户反映强烈。

（六）粮食储备体制运转不畅

具体体现在如下几个方面。①卖粮与收粮的矛盾。一方面，农户无法以托市价将粮食卖给粮站，只能低价卖给粮贩；另一方面，粮站也不愿意收农户的粮食，因为烘干不足、品质没有保障。②仓储成本过高，粮库难以持续。南方容易霉变，仓库、存储技术老旧，维护更新成本高，同时也缺乏相关专业人才。以中央储备粮吉安直属库为例，其仓储容量为 3.5 万 t，每年每吨实际保管费用在 132 元左右，每吨轮换费用为 170 元，每吨粮食亏损超过 200 元。③种粮大户储粮受到政策限制。种粮大户在水稻收割季节粮食收割量巨大，需要及时翻晒、晾干，否则遭遇雨水天气损失巨大。但是现有政策不允许他们在耕地附近修建仓储，他们只能运到较远距离处翻晒，增加了运输成本、风险。

（七）工商资本下乡与农民争利

具体体现在如下几个方面。①资本垄断农业。工商业资本对农地使用权的集聚，形成大资本对小规模经营条件下劳动力要素的替代或排斥，造成资本垄断农业的状况。②弱势农民可持续生计受到挑战。以安徽省合肥市庐江县万山镇某村为例，土地流转租金为每人每年 700 元。这些租金相当于农民购买口粮的价格，其他生活成本（如做饭、取暖燃料、蔬菜）皆需通过其他途径获取。③土地使用“非粮化”“非农化”问题比较普遍。一些企业以“圈地”、“非农化”、套取国家补贴为目的，流转土地后“圈而不用”，导致农田抛荒闲置浪费或者出现“非粮化”“非农化”现象。安徽宿州工商企业流转的土地占比 28.9%，其中种粮不足 30%。土地种粮收入不及工商经营收入的 1%，工商资本拿地不为种粮。

（八）供给侧结构性改革缓慢

具体体现在如下几个方面。①水稻新品种少。适应新的市场需求的粮食产品少，一些传统大米产品生产量很大，单产高，但是不受消费者欢迎。②水稻高端产品少。粮食生产的一般性品种多，高端产品少，品牌发展弱。在中高端市场难以与东北大米、进口粮食产品尤其是东南亚大米竞争。③水稻产品理念落后。目前水稻产品的理念基本还停留在“吃得饱”而不是“吃得好”的阶段。绿色、营养、健康理念在华中地区粮食产业中不太普及，食品安全信任度比较低。

二、小麦种植的重要发现

（一）小麦种植户对收入的满意度偏低

接近80%的农户的种植收益在6000元以下，3000元以下更是接近60%；仅有25%的农户对小麦种植收入感到满意。

（二）比较收益过低，导致小麦种植意愿低

超过25%的农户计划在未来缩小种植面积或干脆放弃生产，其主要原因是小麦种植比较收益太低，而外出务工收入更高。

（三）农户种植技术水平偏低，对技术培训的需求非常强烈

小麦种植面临的风险很多，超过50%的农户渴望通过技术培训等方式学习并提高小麦种植技术；对技术培训来源，农户最信任科研院所（48.87%），其次才是政府农技推广人员（41.94%）。

（四）小麦销售渠道单一，造成小麦销售风险较大

绝大部分农户主要采取商贩上门收购这一销售渠道来销售小麦；渠道单一且缺乏应有的契约保障，农户权益难以保证。

（五）赤霉病有逐渐向北迁移扩散的势头

受全球气候变暖、厄尔尼诺的影响，赤霉病的侵染范围还会进一步扩大。赤霉病由江苏和安徽北部向河北、山西蔓延。

（六）气候阴雨潮湿难以应对是小麦赤霉病暴发的主要原因

小麦赤霉病暴发与抽穗扬花期降雨日数和降雨量、田间相对湿度等因素有直接关系；72.55%的被调查者认为阴雨天气是赤霉病发生的首要原因。然而，华中地区小麦抽穗扬花期的连续阴雨天气无法避免。

（七）仓储、加工环节的赤霉病侵染不容忽视

小麦在收获、存储、加工过程中如果未经充分干燥就会湿度过高，为赤霉病菌提供生长、传染的条件；被调查农户中，51.68%的农户反映缺乏晾晒场所，57.67%的农户反映仓储管理不当，这些原因都会加剧赤霉病的传染。65%的农户对于烘干后小麦水分损失减重存在认识上的偏差，因此烘干设备在很多地方的认知和推广都存在困难。

（八）赤霉病“病麦”主要用作饲料或掺杂出售，隐患很大

赤霉病“病麦”的不当处理方式加剧了赤霉病的传染以及畜禽中毒的发生。

（九）赤霉病灾情的统防统治存在困难

由于品种差异、生育期差异，在赤霉病防治过程中组织各类农业经营主体之间

进行统防统治存在较大困难；61.71%的被调查者反映实现统防统治能提升赤霉病的防治效果。

（十）农户缺乏科学施药的知识

农户对于药剂的抗性及作用机理的互补、混合用药或交替用药的认知存在不足。67.08%的被调查者认为科学施药技术有效，而且需要培训指导；55.04%的被调查者反映新型高效药械有效，而且表现出较强的需求。

三、柑橘种植的重要发现

（一）柑橘继续种植意愿偏低，种植成本（劳动力成本）持续上升

未来计划扩大柑橘种植规模的农户仅有 15.79%；未来计划缩小规模甚至放弃生产的农户的比例达到 18.95%。

（二）病虫害防治过于依赖农药，使用量大

51.53%的农户在粮食种植中的农药成本超过 200 元/亩。

（三）销售网络单一，急需开拓互联网销售渠道

销售渠道主要靠商贩上门收购（选“较多”的农户占比 60%）或卖给当地农贸市场（选“较多”的农户占比 50%）；64%的农户希望政府帮助开发网络销售渠道。

（四）病虫害对华中地区的柑橘种植影响大

近年来，受气候变暖、柑橘木虱虫口激增等因素影响，柑橘产区（特别是江西）黄龙病发生加重；41.2%的种植户较常遭受黄龙病病害。

（五）目前的种植及病虫害防治技术培训仍无法满足农户的需求

59.8%的农户非常需要政府提供种植和病虫害防治技术的培训。

（六）农户不采用新品种与新技术主要是由于缺乏配套的技术培训指导

60.43%的农户认为不采用新品种与新技术是因为缺乏培训和指导。

（七）柑橘品牌建设方面存在较大困难，市场风险大

46.03%的农户认为柑橘难以卖出好价格，而且认为价格很难有所提升，市场波动、风险大；62.43%的农户希望政府帮助建立柑橘品牌。

四、淡水鱼类养殖的重要发现

（一）淡水鱼养殖存在较大的风险，但养殖户参加渔业保险的程度非常低

40.9%的养殖户认为风险较大，5.5%的养殖户认为风险非常大；参加渔业保险的养

殖户仅为25.9%，不了解渔业保险的养殖户达到了61.2%。

（二）缺乏养殖技术，阻碍了稻渔综合种养推广

15.83%的被调查养殖户在进行稻渔综合种养，84.17%的养殖户没有进行稻渔综合种养；61.33%的养殖户听说过稻渔综合种养，38.67%的养殖户没有听说过稻渔综合种养，说明稻渔综合种养作为一种新型的养殖方式，宣传推广程度不高，养殖户对其了解不够。

（三）水质较差阻碍养殖规模的扩大

尽管养殖户认为资金信贷（63.12%）、病害防治（60.37%）是他们面临的最主要困难，价格波动（71.1%）、市场供求变化（61.45%）是他们面临的最主要风险，但是通过统计分析发现，水质与扩大养殖规模呈显著正相关。

（四）新品种引进缓慢，有风险、资金短缺是主要原因

54.4%的养殖户因为新品种有风险不愿意引进新品种，45.2%的养殖户因为资金短缺而不愿意引进新品种。

五、耕地重金属污染防治的重要发现

（一）多数农户对耕地重金属污染缺乏认知

仅有 53%的农户知道重金属污染的概念；仅有近 40%的农户听说过湖南镉大米事件；仅有25.6%的农户听说过本地区存在重金属含量超标的问题。

（二）农户进行重金属污染防治的主动性差

69.73%的农户对重金属污染治理的投资意愿较低，66.64%的农户认为政府应该成为耕地重金属污染治理的主体。

（三）农户耕地重金属污染防治面临技术困难

60%以上的农户认为推广并种植重金属吸收较低的水稻品种能够显著降低稻谷中重金属的含量，50%以上的农户认为水稻生长期间进行连续的淹水管理有助于减轻水稻对重金属的吸收能力，60%以上的农户认为在稻田中播撒生石灰能够抑制水稻对重金属的吸收，进而降低稻谷中重金属的含量。在农户层面，操作技术难度大（68.35%）、管理复杂（65.53%）是当前耕地重金属污染防治过程中遇到的主要困难。

六、良田建设的重要发现

（一）农民对良田建设政策不了解

60.44%的农户表示不知道良田建设政策，而知道且非常了解良田建设政策的农民仅有2.7%。

（二）良田建设资金使用不透明

44.72%的农户表示没有得到过良田建设的补贴，有27.9%的农民认为良田建设的资金被村干部挪用、贪污了。

（三）由于良田建设资金缺乏或不到位，农户积极性还没有被完全调动

良田建设资金较少，修建道路、水利等大型配套设施时捉襟见肘。80.44%的农户认为资金到位将会提高自己参与良田建设的积极性。

（四）良田建设的资金没有真正落到实处

良田建设资金简单按人头（34.9%）或耕地面积（39.4%）平均分配的情况很常见。

（五）农民注重短期利益，对于良田建设的满意度较低

超过43.21%的农户对良田建设工程总体不满意，超过46.57%的农户同意土地整治没有让他感受到好处，只有22.17%的农户对良田建设的补偿是满意的，24.38%的农户对主粮的种植收入满意，28.29%的农户提出土地整治并没有提高粮食产量。

（六）良田建设缺乏专家指导

76.96%的农户表示不知道该怎么进行良田建设，40.15%的农户表示缺乏专家指导是导致良田建设没有发挥效用的重要原因。

（七）政策“一刀切”，技术标准不落实，没有因地制宜

38.78%的农户认为良田建设政策没有考虑当地的实际情况，整治后没有见到效果，投入被严重浪费。比如，整好的良田第二年没人种就抛荒了，到第三年就跟没整是一样的。土地平整尤其是高坡地平整对耕作层破坏较大。

（八）农户从农业机械化补贴中获益少

54.32%的农户开始用打田机耕地，而不再是传统的用牛耕地；但是农业机械化补贴大多是补贴给农机代售点，这在实际执行中存在很大的寻租空间，农民并没有真正得到实惠，导致农业机械化的推广力度有限。

七、新型经营主体的重要发现

（一）种植大户老龄化，教育水平偏低

种植大户平均年龄49.04岁，其中40～50岁的比例为41.57%，50～60岁的比例为25.88%；初中及以下教育水平的种植大户比例达到80.39%。

（二）种植大户后继无人

60%的种植大户不会让子女继续从事农业生产，29.02%的种植大户选择看情况。

（三）种植大户继续扩大种植规模的意愿低

74.51%的种植大户三年内不考虑增加水稻种植面积，其中大多数是因为缺少劳动力、资金等要素，自然灾害带来的损失增加，水利等基础设施差，劳动成本上升等原因；仅有5%的种植大户想要扩大种植规模。

（四）土地流转不够规范，存在隐患

从土地来源上看，流转渠道愈加多样化，存在“反租倒包”、转包、转让和股份合作等方式。但是合同不完善，对耕地、对农户利益保护不够。

（五）水稻种植大户的销售渠道单一

目前，水稻种植大户销售粮食的主要渠道是粮食收购商贩，其次是自己寻找销路和送到当地粮库两种路径；较少种植大户选择参与“订单农业”、粮食专业合作组织以及粮食经纪人这三种途径。

（六）农业机械设备不能满足种植大户的需求

种植大户希望通过灌溉、机收、喷雾等技术的投入，来替代传统的依靠劳动力耕作的状况，从而更有效地节约人力；耕整地机械（46.67%）、农用搬运机（30.30%）需求最强烈。

（七）社会资本与人力资本是未来制约新型经营主体成长的主要因素

种植大户的社区内部社会资本与社区外部社会资本（如与政府、专家、银行的关系）对其经营绩效有正向影响；经营者一般型（一般知识存量）、技能型（种植技术）、管理型（组织管理）、创新型（研发创新）人力资本对种植大户的经营绩效有正向影响；小规模种植大户的技术型人力资本对经营绩效的影响更强，大规模种植大户的管理型和创新型人力资本对经营绩效的影响更强；相对于低水平的农田建设，高水平农田基础设施建设下，经营者社会资本、人力资本对经营绩效的影响更强。

（八）土地流转难度大

首先，从农民手里流转土地困难较大。农民即使抛荒也不愿将土地流转出来，担心自己一旦将土地流转出去，大面积平整之后，不易辨别，失去一个可以安身立命的土地；而且农民对租金要求过高，导致流转成本大幅抬高。其次，竞争对手恶性竞争。经常出现竞争对手哄抬土地流转价格，企图通过提高流转价格以获取更多的土地，增加其市场占有率，从而博取政府的土地流转补贴。

第二节　华中地区食物安全的未来展望

一、华中地区食物供需变化趋势与预测

本书详细分析了最近6年（2011～2016年）华中地区主要食物供给和需求变化的趋势。借助2008～2011年华中五省主要食物消费量的统计数据，本书以2008～2011年的

年均增长率为基准，估计出 2011～2016 年华中地区主要食物的消费量。同时，从相关年份中国统计年鉴收集各省主要农产品产量指标数据，并汇总为华中地区农产品总量数据。

从表 4-1 可以看出，2011～2016 年华中地区稻谷、小麦和玉米产量总体上保持相对较快的增长速度，除玉米外，稻谷和小麦的消费量总体上增长相对缓慢。从产量盈余量（产量与消费量的差值）来看，华中地区作为全国水稻主产区，2011～2016 年稻谷产量盈余量每年都超过 3000 万 t，总体呈逐年增长的趋势。稻谷产量盈余量从 2011 年的 3371.80 万 t 增长到 2016 年的 3519.28 万 t。相比之下，华中地区小麦盈余量并不多，在 2011 年产量甚至不及消费量，但 2012 年以来盈余量开始转为正数，2016 年达 148.61 万 t。华中地区作为生猪主产地区，其养殖业对玉米的需求量较大，使得华中地区玉米产量严重低于玉米消费量，玉米存在较大的产量缺口，而且这一缺口近年来呈现快速增大的趋势。2011 年玉米产量缺口达 1501.57 万 t，到 2016 年，这一缺口增加到 3936.80 万 t。

表 4-1 2011～2016 年华中地区粮食作物供需情况 （单位：万 t）

年份	稻谷			小麦			玉米		
	消费量	产量	产量盈余量	消费量	产量	产量盈余量	消费量	产量	产量盈余量
2011	6021.90	9393.70	3371.80	2602.19	2571.94	–30.25	2565.51	1063.94	–1501.57
2012	6121.11	9528.85	3407.74	2626.62	2724.38	97.76	2923.08	1150.09	–1772.99
2013	6137.11	9526.72	3389.61	2651.28	2863.56	212.28	3330.49	1110.15	–2220.34
2014	6153.15	9695.17	3542.02	2676.18	2988.50	312.32	3794.68	1198.97	–2595.71
2015	6163.53	9894.50	3730.97	2723.77	3017.90	294.13	4473.04	1282.97	–3190.07
2016	6169.34	9688.62	3519.28	2793.56	2942.17	148.61	5134.68	1197.88	–3936.80

注：消费量是在布瑞克 2008～2011 年估计数据的基础上预测得到；产量数据来自 2012～2017 年中国统计年鉴

从表 4-2 可以看出，2011～2016 年华中地区主要养殖业产品基本都存在一定的产量盈余量。作为全国生猪主产地区之一，除了满足本地区城乡居民和加工业猪肉消费需求外，2011～2016 年华中地区猪肉产量平均每年有超过 200 万 t 的盈余量，而且产量盈余量呈先升后降的趋势。猪肉产量盈余量前期增长主要得益于产量的快速增长和消费量的相对缓慢增长。水资源丰富的华中地区也是我国淡水产品主产地区，除了满足本地区

表 4-2 2011～2016 年华中地区主要养殖业产品供需情况 （单位：万 t）

年份	淡水产品			猪肉		
	消费量	产量	产量盈余量	消费量	产量	产量盈余量
2011	1471.23	1396.42	–74.81	1188.47	1369.70	181.23
2012	1488.84	1494.96	6.12	1204.14	1460.70	256.56
2013	1506.66	1558.19	51.53	1220.01	1489.60	269.59
2014	1524.70	1623.99	99.29	1236.09	1554.70	318.61
2015	1542.95	1681.32	138.37	1252.39	1517.90	265.51
2016	1564.67	1768.50	203.83	1261.75	1461.2	199.45

注：消费量是在布瑞克 2008～2011 年估计数据的基础上预测得到；产量数据来自 2012～2017 年中国统计年鉴

巨大的淡水产品需求，华中地区在 2012 年实现了淡水产品的盈余，且 2016 年盈余量达到 203.83 万 t。

从表 4-3 可以看出，2011～2016 年华中地区主要园艺产品水果和蔬菜供需变化趋势存在较大差异。对于蔬菜而言，2016 年以前，华中地区蔬菜保持快速增长趋势，而蔬菜消费量则保持相对缓慢的增长速度。因此，华中地区蔬菜产量盈余量呈不断增加的趋势，产量盈余量从 2011 年的 4133.99 万 t 增加到 2015 年的 6587.10 万 t。与 2014 年和 2015 年相比，2016 年华中地区水果开始出现较大盈余，产量盈余量达到 888.91 万 t。

表 4-3　2011～2016 年华中地区主要园艺产品供需情况　（单位：万 t）

年份	蔬菜			水果		
	消费量	产量	产量盈余量	消费量	产量	产量盈余量
2011	10 528.63	14 662.62	4 133.99	3 290.91	3 226.68	–64.23
2012	10 627.72	15 512.50	4 884.78	3 350.36	3 336.91	–13.45
2013	10 727.75	16 095.11	5 367.36	3 410.88	3 429.19	18.31
2014	10 828.72	16 719.50	5 890.78	3 472.49	2 539.81	–932.68
2015	10 930.64	17 517.74	6 587.10	3 535.22	2 646.67	–888.55
2016	10 992.56	6 922.74	–4 069.82	3 723.56	4 612.47	888.91

注：消费量是在布瑞克 2008～2011 年估计数据的基础上预测得到；产量数据来自 2012～2017 年中国统计年鉴

本书对华中地区主要食物（包括主要粮食作物、养殖业产品、蔬菜和水果等产品）产量和消费量进行了预测，预测的时间节点包括 2020 年、2025 年、2030 年和 2035 年。各类产品的产量预测采取以下步骤：第一步，收集 2011～2017 年华中五省各类产品产量数据，汇总得到华中地区主要食物的产量数据；第二步，测算 2011～2017 年华中地区各类产品产量的年均增长率；第三步，在 2017 年数据的基础上，按照第二步测算得到的年均增长率分别估算 2020 年、2025 年、2030 年和 2035 年 4 个时间节点的产量。

相比产量预测，各类产品的消费量预测较为复杂。本书参照《中共中央 国务院关于深入推进农业供给侧结构性改革加快培育农业农村发展新动能的若干意见》和《全国农业现代化规划（2016—2020 年）》的发展目标，以《中国农业展望报告（2016—2025）》的基本参数为测算依据，具体采取以下步骤对华中地区各类产品的消费量进行预测：第一步，收集 2011～2017 年华中五省总人口数据，汇总得到华中地区人口总量数据；第二步，测算 2011～2017 年华中地区总人口的年均增长率；第三步，在 2017 年数据的基础上，按照第二步测算得到的年均增长率分别估算 4 个时间节点的人口总数；第四步，根据《中国农业展望报告（2016—2025）》公布的 2015 年、2020 年和 2025 年相关产品全国总消费量和总人口数据，计算得到 3 个时间节点全国相关产品的人均消费量；第五步，将计算得到的 2017 年、2020 年和 2025 年小麦、玉米、猪肉、淡水产品、蔬菜、水果人均年消费量作为华中地区相关产品的人均消费量，并根据 2025 年和 2020 年的增长率测算 2030 年和 2035 年每种产品人均消费量；第六步，考虑到华中地区既是我国水稻主产区，同时也是水稻主要的消费地区，人均稻谷消费量应该高于全国平均水平，故依照中国住户调查年鉴的农户稻谷消费量调查数据，对华中地区人均稻谷消费量进行调整；第七步，将每一时间节点的总人口和食物人均消费量相乘得到每一类产品总消费量。

消费量预测使用的基准参数见表 4-4。预测得到的各类产品产量减去消费量得到产量盈余量的预测值。

表 4-4　2015～2035 年华中地区食物供需预测基准参数

年份	总人口（亿人）	人均消费量（kg/人）						
		稻谷	小麦	玉米	猪肉	水产品	蔬菜	水果
2015	3.13	137.75	86.96	142.81	39.99	49.26	348.99	112.87
2020	3.17	139.97	90.43	158.89	42.10	51.57	360.94	121.56
2025	3.21	140.30	93.80	160.53	44.70	53.34	368.46	128.11
2030	3.25	140.63	97.29	162.19	47.45	55.16	376.13	135.02
2035	3.27	140.65	98.34	163.39	48.15	56.23	381.27	141.48

（一）口粮产量和消费量均保持增长

表 4-5 展示了 2015～2035 年华中地区主要粮食类产品的产量、消费量和产量盈余量的预测值，从中可以进一步分析华中地区以稻谷和小麦为主的口粮供需平衡。

表 4-5　2015～2035 年华中地区粮食作物供需趋势预测　（单位：万 t）

年份	稻谷			小麦			玉米		
	产量	消费量	产量盈余量	产量	消费量	产量盈余量	产量	消费量	产量盈余量
2015	9 894.50	6 163.53	3 730.97	3 017.90	2 723.77	294.13	1 282.97	4 473.04	−3 190.07
2020	10 559.86	6 340.46	4 219.40	3 688.65	2 867.39	821.26	1 630.25	5 038.25	−3 408.00
2025	10 669.97	6 434.16	4 235.81	4 008.49	3 011.10	997.39	2 071.55	5 153.35	−3 081.80
2030	10 727.83	6 529.25	4 198.58	4 210.53	3 162.01	1 048.52	2 632.29	5 271.09	−2 638.80
2035	11 084.92	6 536.68	4 548.24	4 545.48	3 190.34	1 355.14	2 739.31	5 299.58	−2 560.27

从表 4-5 可以看出，华中地区稻谷产量将逐年增长，并于 2020 年达到 1.05 亿 t，2035 年达到 1.10 亿 t。稻谷消费量也将保持持续、缓慢增长态势，到 2020 年达到 0.63 亿 t，2035 年达到 0.65 亿 t。稻谷产量盈余量总体上呈持续增加趋势，2020 年产量盈余量达到 0.42 亿 t，2035 年达到 0.45 亿 t。重要的是，尽管人均稻谷消费量保持稳定，但随着总人口基数的增长，华中地区稻谷消费量和其他粮食消费量也将保持一定的增长趋势。

2015～2035 年，小麦产量和消费量也将保持增长态势，其中，产量从 2015 年的 0.30 亿 t 增加到 2035 年的 0.45 亿 t，消费量从 2015 年的 0.27 亿 t 增加到 2035 年的接近 0.32 亿 t。小麦产量盈余量也将保持较快的增长速度，2025 年接近 0.1 亿 t，2035 年则约为 0.14 亿 t。

汇总起来可以发现，华中地区口粮供给量将从 2015 年的 1.29 亿 t 增加到 2035 年的 1.56 亿 t，年均增长 0.95%；消费量则从约 0.89 亿 t 缓慢增加到 0.97 亿 t，年均增长 0.58%；供给量减去消费量之后的产量盈余量则从 0.40 亿 t 增加到 0.59 亿 t，年均增长 1.88%。可见，华中地区以稻谷和小麦为主的口粮生产不仅能够满足本地消费，还有 0.5 亿 t 左右的盈余可向经济发达的粮食主销区（如广东、浙江、福建和上海）销售，也可向农业生产条件较为恶劣的西部省份（如贵州、西藏、青海等）销售。

从产量规模来看，水稻是华中地区未来十几年粮食作物中的最大的增长点。当然，要实现这一增长量和增长速度，必须保障四个条件：一是耕地中水田面积保持相对稳定，甚至在具备条件的情况下增加水田面积；二是确保水稻播种面积保持相对稳定，甚至有所增加，这就需要稳定农户的水稻种植行为，在适合种植双季水稻的地方保障水稻的双季种植；三是提高水稻种植的单位面积产量可通过高产、优质水稻品种的研发和推广，提高水稻单产水平；四是保障农田水利基础设施建设，保障水稻生产中的用水需求。

当然，水稻产量的快速增长不可避免地需要增加肥料和农药的投入，而肥料和农药投入的增加则有可能增加耕地和水体的污染。因此，如何在增加产量的基础上控制化学肥料和农药投入，并进一步遏制甚至缓解环境污染，是未来华中地区水稻生产中面临的重大挑战。

（二）谷物整体存在产量盈余，但玉米需求缺口较大

谷物主要包括水稻、小麦和玉米 3 种粮食。这里先分析玉米的预测数据，然后再汇总分析谷物的预测数据。预测显示，2015～2035 年，尽管华中地区玉米产量仍将保持一定的增长速度，但随着养殖业规模的扩大，玉米消费量将以更快的速度增长，这将使得华中地区出现较大的玉米产量缺口。具体而言，华中地区玉米产量将于 2020 年达到 0.16 亿 t，2025 年接近 0.21 亿 t，2035 年达到 0.27 亿 t。同时，玉米消费量从 2015 年的接近 0.45 亿 t 增加到 2035 年的 0.53 亿 t 左右。玉米产量缺口则从 2015 年的 0.32 亿 t 左右增加到 2020 年的 0.34 亿 t，到 2035 年，这一缺口仍然高达 0.26 亿 t 左右。

华中地区玉米产量要保持一定的增长速度，必须要因地制宜，在适合玉米生产的丘陵和山区（如湖北西部山区、湖南北部和西部山区）进行高产玉米品种的推广种植。当然，养殖业的快速发展会不可避免地造成华中地区玉米饲料粮供给短缺，短缺部分可从玉米主产区调入，尤其是邻近的河南、山东两省。

汇总来看，华中地区谷物产量将从 2015 年的 1.42 亿 t 增加到 2035 年的 1.84 亿 t，年均增长 1.30%；谷物消费量将从 2015 年的 1.34 亿 t 增加到 2035 年的 1.50 亿 t，年均增长 0.76%；产量盈余量将从 2015 年的 0.08 亿 t 快速增加到 2035 年的 0.33 亿 t。因此，华中地区谷物供给和需求存在较大的结构不平衡问题。

（三）猪肉和淡水产品都存在一定的产量盈余

表 4-6 展示了 2015～2035 年华中地区主要养殖业产品的产量、消费量和产量盈余量的预测值。尽管 2011～2015 年华中地区猪肉产量表现出较快的增长速度，年均增长 2.60%。然而，受生猪养殖环境治理政策（即南方水网地区适当控制养殖规模）的影响，本研究认为未来华中地区生猪产量增长速度将会放缓。本研究将年均增长率定为 1%。根据这一基准指标，在预测期内，华中地区猪肉产量将缓慢增长，2020 年达到 1595.33 万 t，2025 年达到 1676.71 万 t，2035 年达到 1785.35 万 t。预测期内，猪肉消费量保持缓慢增长态势，从 2015 年的 1252.39 万 t 增加到 2035 年的 1587.47 万 t。随着产量的缓慢增加，华中地区猪肉产量盈余量从 2015 年的 265.51 万 t 减少到 2035 年的 197.88 万 t，仍将具有一定的向猪肉主销区（如广东省）输送猪肉的潜力。

表 4-6 2015～2035 年华中地区主要养殖业产品供需趋势预测 （单位：万 t）

年份	猪肉			淡水产品		
	产量	消费量	产量盈余量	产量	消费量	产量盈余
2015	1517.90	1252.39	265.51	1681.32	1542.95	138.37
2020	1595.33	1334.94	260.39	2074.46	1635.30	439.16
2025	1676.71	1434.83	241.88	2254.24	1712.26	541.98
2030	1762.23	1542.20	220.03	2467.18	1792.85	674.33
2035	1785.35	1587.47	197.88	3275.23	1792.85	1482.38

当然，猪肉产量的继续增长使得华中地区对玉米的需求量持续增加，华中地区玉米供给缺口仍将持续。那么华中地区保障玉米饲料粮的供给将是未来的一项重大挑战。其可能的解决策略之一：一方面在有条件的山区适当扩大玉米种植面积，另一方面从玉米主产区（如东北地区和河南省等）调配玉米。此外，生猪生产扩张也会产生粪便环境污染问题和抗生素残留问题。

相比猪肉，预测期内作为“鱼米之乡”的华中地区淡水产品产量将保持更快的增长速度，产量从 2015 年的 1681.32 万 t 增加到 2035 年的 3275.23 万 t，20 年间增长 1 倍左右。同期，华中地区城乡居民淡水产品消费量总体上缓慢增长，仅从 2015 年的 1542.95 万 t 增加到 2035 年的 1792.85 万 t。随着产量的快速增长，华中地区淡水产品产量盈余量从 2015 年的不足 150 万 t，迅速增加到 2035 年的接近 1500 万 t，成为国内重要的淡水产品净外销区，淡水产品盈余可向水资源比较缺乏的北方省份（如河南、河北、陕西等）销售。

那么，如何保障预测期内华中地区淡水产品产量快速增长？本研究认为华中地区应该分地区和分品种予以具体考虑。首先，从地区来看，湖北计划贡献华中地区 30%的淡水产品产量，江苏计划贡献 25%的淡水产品产量，江西、湖南和安徽分别贡献 15%的淡水产品产量。从品种来看，鱼类产品计划贡献华中地区 80%的淡水产品产量，甲壳类产品计划贡献 15%左右的淡水产品产量。在鱼类产品中，四大家鱼中的草鱼、鲢和鳙，以及其他鱼类中的鲫、鲤和鳊鲂构成华中地区最主要的鱼类品种。其中，草鱼计划贡献 25%的淡水鱼类产量，鲢、鳙和鲫计划分别贡献 15%的淡水鱼类产量，鲤和鳊鲂计划分别贡献 5%的淡水鱼类产量。湖北和湖南计划分别成为华中地区草鱼、鲢、鳙和鲤最主要的两大产区，江苏和湖北则计划成为鲫和鳊鲂最主要的两大产区。从甲壳类产品来看，虾类计划贡献华中地区 70%左右的甲壳类淡水产品产量，而湖北和江苏则成为淡水虾类主产地区，两省分别贡献华中地区虾类产品产量的 49%和 35%。在虾类产品中，小龙虾（克氏原螯虾）成为推动产量增长的主力军，计划贡献华中地区 70%的虾类产品产量，其中，湖北计划贡献华中地区 70%的小龙虾产量。湖北小龙虾生产重点将集中在江汉平原地区，包括河流、湖泊养虾，也包括近年来兴起的稻田养虾。

推动华中地区淡水鱼类和虾类产量快速增长的条件，除了合理的区域布局和品种布局，还需要适当增加养殖水面和通过技术进步提高单位面积产量。这就要合理规划，在有条件的地区增加养殖池塘数量，增大湖泊和河流养殖密度。当然，养殖水面的扩大和养殖密度的增大一方面不可避免地增加渔业对饲料的需求，另一方面也会产生抗生素残留等水体污染问题。对于饲料缺口问题，可考虑从饲料主产区调配。

（四）主要园艺产品中水果出现较大消费缺口，蔬菜产量盈余相对稳定

表 4-7 展示了 2015～2035 年华中地区主要园艺产品的产量、消费量和产量盈余量的预测值。从表 4-7 可以看出，预测期内华中地区蔬菜产量将稳定增长，2020 年达到 1.89 亿 t 左右，2025 年达到 1.93 亿 t，2035 年达到 2.12 亿 t，20 年内产量增加 21%。相比之下，预测期内华中地区蔬菜消费量将会小幅度攀升，从 2015 年的 1.09 亿 t，增加到 2035 年的 1.36 亿 t。同期，华中地区蔬菜产量盈余量从 2015 年的不足 0.66 亿 t 增加到 2035 年的 0.76 亿 t，蔬菜除了满足本地区消费外，将具有巨大的外销潜力。然而，预测期内华中地区尽管水果产量保持较快的增长速度，但仍然无法满足快速增长的城乡居民水果消费。华中地区水果产量将从 2015 年的 2646.67 万 t 增加到 2035 年的 4286.37 万 t，但消费量则从 2015 年的 3535.22 万 t 增加到 2035 年的 4515.64 万 t。受此影响，华中地区水果消费存在一定的缺口，2015 年消费缺口达 888.55 万 t，2035 年消费缺口仍有 229.27 万 t。从园艺产品消费结构来看，华中地区消费的苹果、热带水果（如香蕉、火龙果等）主要依赖于从相应水果的主产区调入。

表 4-7　2015～2035 年华中地区主要园艺产品供需趋势预测　（单位：万 t）

年份	蔬菜			水果		
	产量	消费量	产量盈余	产量	消费量	产量盈余
2015	17 517.74	10 930.64	6 587.10	2 646.67	3 535.22	−888.55
2020	18 884.05	11 445.03	7 439.02	3 081.69	3 854.51	−772.82
2025	19 338.66	11 828.26	7 510.40	3 588.21	4 112.65	−524.44
2030	20 152.84	12 224.32	7 928.52	4 177.99	4 388.07	−210.08
2035	21 232.43	13 561.42	7 671.01	4 286.37	4 515.64	−229.27

二、华中地区食物生产国际竞争力趋势预测

（一）水稻生产国际竞争力

结合数据的可获得性和华中地区食物生产地位的特征，本书重点对华中地区稻谷和猪肉生产的国际竞争力进行预测和分析。

从《全国农产品成本收益资料汇编 2013》公布的数据来看，2012 年华中地区水稻生产成本和美国水稻生产成本差不多，每 50kg 主产品的成本略低于美国。但是，2018 年华中地区（以及全国）水稻生产成本已经高于美国。2018 年，华中地区每 50kg 稻谷总成本达到 97.72 元，但美国只有 83.82 元，华中地区比美国高出 16.58%。从每亩生产情况来看，华中地区稻谷总生产成本比美国高出 8.04%，但单产却比美国低 8.68%。从总成本和单产水平来看，2018 年华中地区稻谷国际竞争力已经低于美国。

从每亩分项成本的构成及其变化（表 4-8）来看，华中地区水稻生产中最主要的成本为家庭劳动力机会成本、雇工费用、机械作业服务费和肥料投入，而且总成本上涨最主要的原因是雇工费用和机械作业服务费的快速上涨。相比之下，美国水稻生产成本中雇工费用、家庭劳动力机会成本和机械作业服务费占比较低，而且几年间变化较小。由此可见，与美国相比，华中地区水稻生产竞争力减弱的主要原因是农业雇工费用和机械作业服务费用的上涨。

表 4-8 2012 年和 2018 年华中地区和美国水稻生产成本

年份	国家或地区	50kg 主产品总成本（元）	每亩总成本（元）	主产品产量（kg/亩）	种子投入（元/亩）	肥料投入（元/亩）
2012	华中地区	85.73	954.00	539.74	58.02	136.59
	美国	87.91	1024.83	582.87	568.80	88.59
2018	华中地区	97.72	1136.96	577.57	75.66	144.45
	美国	83.82	1052.26	627.70	114.35	98.98

年份	国家或地区	农药投入（元/亩）	机械作业服务费（元/亩）	燃料动力费（元/亩）	雇工费用（元/亩）	家庭劳动力机会成本（元/亩）
2012	华中地区	53.48	133.71	19.69	50.53	319.34
	美国	121.55	83.59	119.13	39.49	54.44
2018	华中地区	58.91	172.03	6.84	91.82	285.49
	美国	105.65	71.82	81.75	34.33	85.66

注：华中地区各项指标根据相关年份全国农产品成本收益资料汇编公布的江苏、安徽、湖北和湖南数据计算平均值得到；美国数据取自《全国农产品成本收益资料汇编 2019》的附录

根据 2012～2018 年成本的变动趋势以及当前农业生产的基本情况，未来相当长一段时间内华中地区水稻生产成本将保持在较高水平，甚至仍然存在快速上涨的空间。我国和华中地区粮食作物家庭劳动力机会成本较高的主要原因是每亩耕地所支撑的农业人口约为 5 人，而美国仅为 0.014 人。在传统小农经济体系下，大量人口依赖土地为生，庞大的人口基数提高了我国和华中地区水稻生产成本。鉴于小农户农业生产的持久性以及农村人口对耕地社会保障功能的高度依赖性，预计到 2020 年华中地区水稻生产中家庭劳动力机会成本仍然居高不下，但到 2035 年小农户一定程度上退出可能会使家庭用工费用下降。未来一段时间内，雇工费用仍可能持续上升。劳动力成本上升的主要原因是农村居民收入水平的提高和农业劳动力供需的季节性矛盾（钟甫宁，2016）。这两个因素在未来仍将推动雇工成本上涨。预计到 2020 年和 2035 年华中地区水稻生产雇工费用仍将呈现一定幅度的上涨。随着农业机械化的推进，农机作业服务成本存在控制和压缩的空间。

据此，预测 2020 年华中地区水稻生产国际竞争力仍然低于美国，到 2035 年竞争力仍可能低于美国，但与美国的差距可能会缩小。

另外，将华中地区水稻生产成本与日本进行比较，分析和预测华中地区水稻与日本水稻的竞争力。从数据（图 4-1）来看，2012 年和 2016 年华中地区水稻生产成本远远低于日本，2016 年约为日本的 1/4。可见，华中地区水稻生产竞争力远远高于日本。

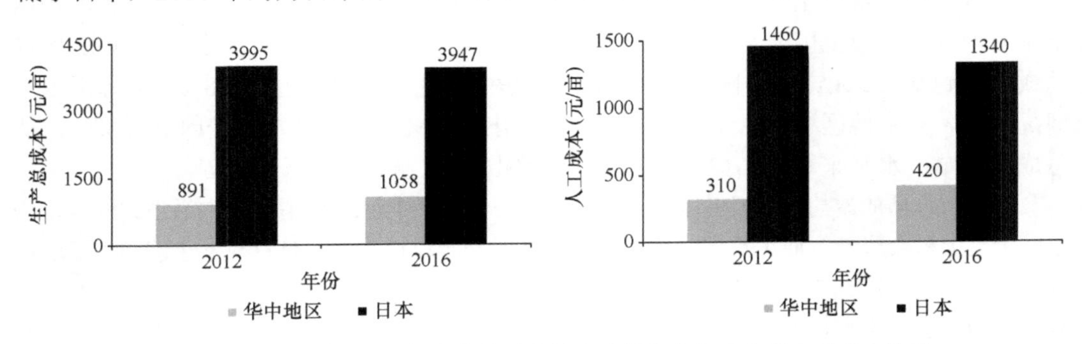

图 4-1 2012 年和 2016 年华中地区和日本水稻生产总成本和人工成本比较

图 4-1 还显示，2016 年与 2012 年相比，日本水稻生产总成本和人工成本都在减少。鉴于华中地区未来人工成本和总成本仍见持续增长，本书预测，到 2020 年和 2035 年华中地区水稻生产总成本仍然低于日本，但成本优势逐渐缩小，预计到 2035 年华中地区水稻生产成本是日本的 1/2。

（二）生猪生产国际竞争力

本书结合每头母猪提供上市肉猪数量和单位猪肉生产成本两项指标来分析和预测华中地区生猪生产的国际竞争力。相关年份中国畜牧兽医年鉴的指标数据显示，2012～2016 年，华中地区每头能繁母猪提供的上市肉猪数量从 18.02 头增加到 18.93 头，年均增长 1.23%。按照这一年均增长速度，我们预测华中地区每头能繁母猪提供的上市肉猪数量将从 2017 年的 19.16 头增加到 2020 年的 19.88 头，并于 2035 年增加到 23.88 头（图 4-2）。这意味着，到 2035 年这一反映生猪生产国际竞争力的技术指标将接近美国 2016 年的水平（美国 2016 年约为 24 头）。因此，华中地区这一指标与美国的差距可能会逐渐缩小。

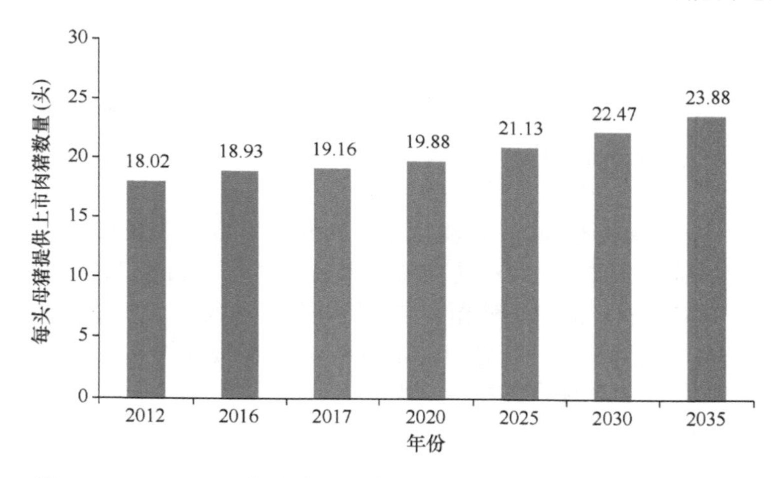

图 4-2　2012～2035 年华中地区生猪每头母猪提供上市肉猪数量走势

从生产成本来看，2016 年华中地区中等规模生猪养殖场每千克生猪主产品生产成本为 14.44 元，而美国生猪生产每千克主产品成本仅为 12.15 元，华中地区生产成本比美国高出 18.85%。可见，2016 年华中地区生猪生产国际竞争力已经低于美国。从生产成本的构成来看，华中地区生猪生产的重要成本为饲料成本和仔猪成本，两项成本分别占生猪生产成本的 53.41%和 42.17%。饲料成本主要体现在玉米和豆粕的价格方面，而仔猪成本主要体现在上述技术指标——每头能繁母猪提供的上市肉猪数量。

一方面，玉米和大豆生产成本已经高于美国等发达国家，而且未来相当一段时间内受人工成本持续上涨的影响，我国玉米和大豆生产成本以及销售价格仍可能持续上涨，到 2020 年甚至 2035 年，华中地区生产的饲料成本仍将居高不下甚至存在持续上涨的可能性。另一方面，由于技术水平的进步以及由此带来的每头能繁母猪提供的上市肉猪数量持续增长，华中地区未来 15 年仔猪成本可能持续下降。综合考虑这两个方面的因素，我们预计到 2020 年和 2035 年，华中地区生猪生产国际竞争力会持续低于美国，但与美国的差距可能会逐步缩小。

三、华中地区食物生产各项生态指标预测

本书选取耕地保有量、农业用水量、农田灌溉用水有效利用系数、农作物绿色防控覆盖率、自然湿地保护率、农田林网控制率、森林覆盖率等指标，分析和预测华中地区食物生产的生态条件。2016～2035 年各项指标的预测值见表 4-9。

表 4-9 2016～2035 年华中地区各项生态指标变动趋势预测

年份	耕地保有量（万 hm^2）	农业用水量（亿 m^3）	农田灌溉用水有效利用系数	农作物绿色防控覆盖率（%）	自然湿地保护率（%）	农田林网控制率（%）	森林覆盖率（%）
2016	2291	916	0.522	24	52	85	42.56
2020	2285	925	0.542	37	58	90	43.82
2025	2276	980	0.562	49	64	93	45.12
2030	2271	1000	0.582	61	70	95	47.12
2035	2270	1025	0.602	74	75	97	48.21

2016～2035 年，华中地区耕地保有量可能会持续减少，但一直维持在 2270 万 hm^2 及以上，因而未来食物生产具有良好的耕地保障。随着水稻、蔬菜和生猪生产的扩张，华中地区农业用水量将持续增加，从 2016 年的 916 亿 m^3 增加到 2020 年的 925 亿 m^3，再增加到 2035 年的 1025 亿 m^3。从水资源保有量来看，未来华中地区食物生产水资源相对充足。

2016～2035 年，华中地区农田灌溉用水有效利用系数将从 0.522 提高到 0.602，水资源利用效率明显提高；农作物绿色防控覆盖率将从 24%增加到 74%，将有效降低农药的使用强度，从而降低农产品农药残留；自然湿地保护率将从 52%提高到 75%，农田林网控制率将从 85%提高到 97%；森林覆盖率将从 42.56%提高到 48.21%。可见，到 2035 年，华中地区食物生产的各项生态指标将得到明显改善。

根据 2016 年华中地区耕地和水资源禀赋条件，结合科技进步带来的增产潜力和资源节约潜力，本书预测，到 2020～2035 年华中地区耕地和水资源的生态承载力为粮食 1.95 亿 t、口粮 1.80 亿 t、水产品 0.40 亿 t、水果 0.45 亿 t、蔬菜 3.50 亿 t（图 4-3）。

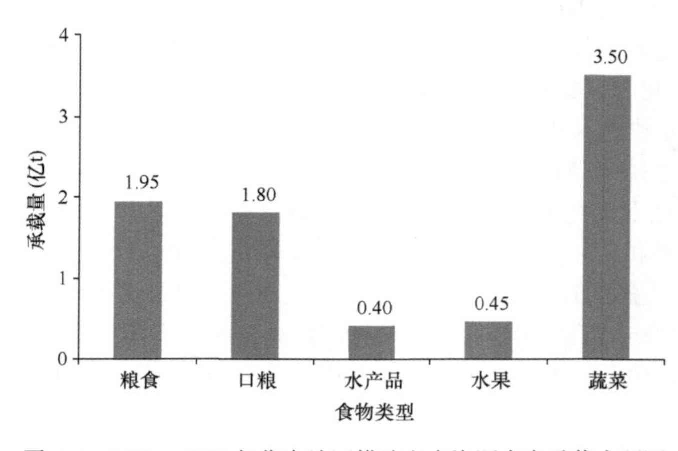

图 4-3 2020～2035 年华中地区耕地和水资源生态承载力预测

第三节　华中地区食物安全可持续发展战略的建议

对于华中地区食物安全可持续发展战略，我们的建议是：构建一个体系，推进两个适应，补齐三个短板，用好五个抓手，谋求生产机械化与绿色化。

一、构建一个体系

要保障华中地区食物安全可持续发展，需要构建规模化、市场化、科技化“三位一体”的华中地区食物安全保障体系（图 4-4）。

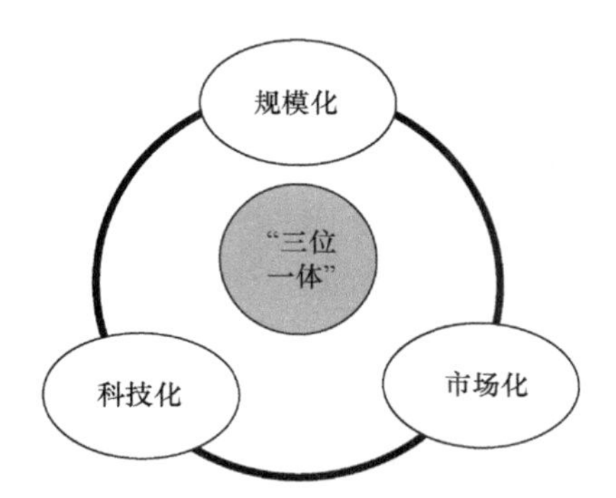

图 4-4　“三位一体”的华中地区食物安全保障体系

（一）规模化

单个农户面对大自然、大市场都极其脆弱。人类从远古走到今天也是依靠组织的力量。必须彻底改变目前千家万户小农生产的现状，以土地适度规模经营为核心，在党的领导下把农民重新组织起来，扩大经营规模，提高效益，应对风险，保护农民的正当权益。规模化的目的是打造以大规模生产经营单元为基础的食物产业链条，让食物生产体系“强起来”。

现在随着粮食价格支持政策改革的调整，粮食价格下降，规模大、效益低的问题凸显。为了降低经营风险，一些农民选择“退”，就是减少种植面积，却有违土地规模化经营的发展趋势；一些农民选择“稳”，就是稳定种植面积，选择种植收益相对较高的苗木等经济作物，这种非粮化趋势又会影响粮食安全。从现代农业的发展着眼，“退”而求“稳”是不行的，必须要“进”而求“上”，就是通过进一步深化农村改革来推进土地规模化经营。土地流转是发展多种形式的适度规模经营的关键，要让土地流转更加顺畅，明确界定承包地的所有权、承包权、经营权是基础的基础。因此，要加快推进农户承包地的“三权分置”，明确所有权，稳定承包权，放活经营权；要扎实推进土地确权登记颁证工作，妥善解决农户承包地面积不准、四至不清等问题，使承包地折股量化、按股分配有据可依；要鼓励规模经营业主与农户建立稳定合理的利益联结机制，探索实物计租货币结算、租金动态调整、土地入股保底分红等利益分配办法，保护流转双方的合法权益。

新型农业经营主体是建设现代农业的骨干力量，要加快培育。因此，要引导和鼓励农民以土地经营权入股，建立土地股份合作社，实行土地股份合作经营或委托经营；引导和鼓励龙头企业采取“公司+农户”“公司+合作社+农户”等模式，发展农业适度规模经营，实现土地、资金、技术、劳动力等生产要素的有效配置，推进农业产业链整合和价值链提升，让农民共享产业融合发展的增值收益；引导和鼓励种植大户、农技人员等成立家庭农场，或牵头组建农民专业合作社，开展生产合作、信用合作和供销合作。进一步完善农业社会化服务体系，支持兴办土地托管、农机作业、统防统治、农资购销、农产品电商平台等农业社会化服务组织，引导它们围绕优势产业和特色产品为农民提供统一的服务。同时，要制定和落实扶持发展农业适度规模经营的政策。具体包括：进一步加大财政扶持的力度，可以对适度规模经营主体进行补贴，可以对规模经营主体的农业设施和农业机械等给予补助，也可以把规模经营主体直接纳入农业建设项目的承建主体范围；进一步强化信贷扶持政策，逐步推行农村土地承包经营权、宅基地使用权和住房财产权抵押贷款，支持地方组建农业信贷担保机构，鼓励金融机构通过融资增信、创投基金等方式与适度规模经营主体加强合作；进一步完善农业保险体系，扩大农业保险覆盖面，提高保额和保费补贴的比例，拓宽险种范围，简化保险服务手续，帮助农业适度规模经营主体增强抵御自然灾害和市场风险的能力。

更重要的是，华中地区粮食规模化经营要将土地规模经营和服务规模经营相结合。考虑到当前人均耕地面积仍然低于10亩，家庭农场数量规模有限，到2030年以前，华中地区食物生产应该以服务规模化经营为重点。具体是鼓励具备比较优势的服务主体开展代耕代收、土地托管、工厂化育秧、农机作业等方式进行服务规模化经营。服务主体通过聚合大量农户的需求，可以获得服务规模经济效应，从而降低生产成本和服务成本，最终形成农业服务规模经营（罗必良，2017）。

到2035年，农村劳动力可能大幅度减少，土地规模化经营进入加速阶段，因而2035年开始食物规模化经营可考虑服务规模化经营和土地规模化经营并重。

（二）市场化

市场化指的是应对消费升级带来的消费者对于食物产品的安全、健康、营养的新需求，以市场需求为核心进行食物生产供给侧结构性改革，提供新一代食物产品。市场化的目的是提升中国食物产品品牌形象、获得消费者青睐，让食物生产体系“活起来”。

结合各地实际，加强营销特别是互联网营销，持续拓展农产品销售渠道。华中地区稻谷、猪肉、蔬菜和水产品等优势产品市场化需要讲究营销路径。一是持续研究市场变化，研究城里人现在吃的有什么变化；二是通过产权重组、合约使用、特许经营等方式，结合地理标识培育大品牌；三是用足用够互联网，把使用外地电子商务平台与建好本地电子商务平台相结合；四是用好个人和集团定制营销，给消费者以亲切感和良好感受；五是舍得花钱建营销渠道，既要重视线下旗舰店、专卖店，也要重视线上新方式；六是把农民组织起来、联合起来，不断创新经营主体，农机等生产合作社要增加营销功能；七是把产品营销到最后的消费环节，如大米营销要展示米饭的口感和香气；八是重视产品包装和核心优势要点介绍，如权威机构的有机产品认证；九是学习国外农产品营销的先进经验，如日本大米零售店的产品展示。

（三）科技化

科技优先，发挥中国特色社会主义制度集中力量办大事的优势，集中力量突破一批重大重点农业科技，尤其是高产、优质、环保技术，加强转基因技术研究。目前即使不市场化、产业化也可以，可以作为技术储备。长远看，中国食物安全根本上取决于科技。

以现代科学技术与装备提升改造传统农业，实现科技对资源和劳动力短缺的双替代、双节省，带动产业、产品升级。食物生产不是一规模化就灵，不是一私有化就灵。解决农民增产不增收的问题、克服人均自然资源短缺问题，科学技术是根本出路。科技化的目的是建立综合配套、地域特色明显的中国新型农业科技体制，尤其要注重开发节约水土光热资源、提高肥料转化效率的新品种，让食物生产体系生产绿色健康食品。

一是坚持产业需求和问题导向。把满足食物生产和消费的重大需求、解决关键问题作为华中地区农业科技工作的立足点和出发点，贯穿到资源配置、科技评价等各方面，促进农业科技与生产紧密结合，增强科技对农业产业发展的贡献度。二是拓展华中地区食物生产科技创新领域。加快现代科学技术在食物生产领域的应用，发展引领产业变革的重大突破性技术，扶持建设新兴交叉学科，培育新产业，强化配套技术研发，挖掘农业在休闲观光、文化传承、宜居生态等方面的潜力，拓展农业功能，促进生产、生活、生态协调发展。三是壮大农业科技力量。优化人才结构，加强领军人才培养和创新团队建设。加大政策扶持力度，增强企业技术创新能力。强化基层农技推广体系建设，大力扶持社会化服务组织，壮大农技推广队伍。健全以职业农民为主体的农村实用人才培养机制，大力推进新型职业农民培育。鼓励社会力量参与华中地区农业科技创新，形成万众创新的局面。

二、推进两个适应

（一）适应市场

农业结构调整、农产品开发与质量建设都必须研究消费者、适应消费者，从消费者偏好出发“反弹琵琶”，指导农产品发展方向。

其一，建立农产品标准化、差异化、品牌化营销体系，真正实现农产品优质优价。优质农产品价优能帮助优质农产品生产者大幅度提高收入水平。然后，通过优质农产品高价和高收益这种示范效应，倒逼普通和低质农产品生产者适应市场需求，调整生产结构，从事高品质农产品生产。

其二，发挥互联网、大数据平台和农产品电子商务平台的优势，通过私人订制等方式，引导农户生产满足城镇居民个性化、功能化需求的营养性、绿色化和健康型农产品。

（二）适应农民

保证食物安全要“眼中有人”。调动种粮主体积极性的关键是适应农民，保护他们的经济利益和社会权益，做到食物安全“事有其主、主有其权、权有其责、责有其利”。

粮食生产是大部分小农户重要的生计活动和生计来源之一，因此保障华中地区食物安全必须适应小农户增加收入和维持生计的需求。由此，食物安全必须兼顾食物生产和农户收入与生计。

三、补齐三个短板

（一）地力建设短板

以国家投入为主开展新一轮大规模农业基础设施建设，加强资金使用监督尤其是第三方监督。其一，对农村高标准农田建设项目从招投标、资金来源、资金使用、项目实施、项目验收等环节层层监督，将农村高标准农田建设工作透明化、程序化。农民是高标准农田建设工作中利益受影响最为直接的群体，这就需要切实保障农民事前的知情权、决策的参与权和事后的救济权，以真正体现出决策的透明度与公允度，增强监督力度。高标准农田建设在规划制定之初应进行公告，告知群众高标准农田建设计划，并召开规划制定的听证会，积极听取农村群众对于高标准农田建设的意见和建议。在实际决策过程中，还需要不断提升农民的参与度，为农民提供表达意见的有效方式，并且还要明确相关规定。在制定决策时，必须全面考虑农民的意见，以提高农民在决策中的影响力。在决策实际执行过程中，还需要赋予农民必要的监督权。

其二，强化良田建设资金监管力度。良田建设资金落到实处是一系列优惠政策真正实现预期目标的关键，必须加强对各种来源资金的监管力度。依托第三方资金监管和审计体系，对各省粮田建设资金执行情况进行年度考核，考核结果与下一年度中央财政用于高标准农田建设的资金安排挂钩，纳入地方各级政府耕地保护责任目标考核内容。加强资金使用管理，对耕地的开垦费、新增建设用地的土地有偿使用费、土地复垦费用等资金进行监管，专款专用，专人专管。

其三，发挥专家优势，加强对农民良田建设技术的支持。教育背景和专业知识欠缺使得农民并不知道如何开展良田建设，迫切需要对农民进行专业技术指导。在良田建设的过程中，村干部可以搭建农民和专家联系的桥梁，请专家对农民进行良田建设方面的技术培训。国家可以考虑出台一些对应的政策，鼓励农业大学、农科院、农业研究所的专家们走进田间地头，教农民如何进行良田建设。

其四，良田建设要与保护生态环境协调一致，防止适得其反。发达国家（如日本）的高标准农田建设工作经验表明，在高标准农田建设过程中应遵守生态环境基本规律，整治工作与生态环境治理工作同步，加强水土流失、土地盐碱化、土地荒漠化等问题的防治，提高森林覆盖率，保护生物多样性，促进当地经济、社会、生态的协调可持续发展。

其五，从田、土、水、路、林、电、技、管 8 个方面协调推进良田建设。农田田块是农产品生产的重要载体，土壤是农作物生长的物质基础，水利是农业的命脉和现代农业建设的首要条件，田间道路是农业生产机械化作业的基本前提，农田林网是防灾减灾的生态屏障，输配电设施是发展现代农业的重要保障，科技进步是农业发展的根本出路，建后管护是确保建成的高标准农田长久发挥效能效益的关键。一是整治田块，提高农田平整度，促进田块集中，优化农田结构布局；二是改良土壤，提升土壤有机质含量，促进土壤养分平衡，改善耕作层土壤理化性状；三是建设灌排设施，改善农田灌排和集蓄水条件，提高水资源利用效率，增强农田旱涝保收能力；四是整修田间道路，提高田间交通配套水平，提高农业机械作业覆盖率；五是完善农田防护林网，提高农田水土保持能力和防灾减灾能力，改善农田生态条件；六是配套农田输配电设施，提高用电质量和安全水平，增强农业生产电力保障能力；七是加强农业科技服务，健全农田监测网络，提高农业科技服务能力；八是强化后续管护，明确管护责任、完善管护机制、健全管护措施、落实管护资金，确保工程长久发挥效益。

（二）农业科技推广体系短板

以国家投入为主健全公益性农业科技推广体系。适应农业市场化、信息化、规模化、标准化发展需要，完善体制机制，强化服务功能，提升队伍素质，创新方式方法，促进公益性推广机构与经营性服务机构相结合、公益性推广队伍与新型农业经营主体相结合、公益性推广与经营性服务相结合，加快健全以农技推广机构为主导，农业科研教学单位、农民合作组织、涉农企业等多元推广主体广泛参与、分工协作的“一主多元”农业技术推广体系，为推进农业供给侧结构性改革、加快农业现代化提供有力支撑。

加强华中地区农技推广机构建设。强化国家农技推广机构的公共性和公益性，履行好农业技术推广、动植物疫病防控、农产品质量安全监管、农业生态环保等职责，加强对其他推广主体的服务和必要的监管。根据农业生态条件、产业特色、生产规模及工作需要，因地制宜完善农技推广机构设置。创新激励机制，鼓励基层推广机构与经营性服务组织紧密结合，鼓励农业技术推广人员进入家庭农场、农民专业合作社和农业产业化龙头企业创新创业，在完成本职工作的前提下参与经营性服务并获取合法收益。完善运行制度，健全人员聘用、业务培训、考评激励等机制。推进方法创新，加快农技推广信息化建设，建立农科教结合、产学研一体的科技服务平台。落实农技人员待遇，改善工作条件，建立工作经费保障长效机制。

引导华中地区科研教学单位开展农技推广服务。强化涉农高等学校、科研院所服务“三农”职责，将试验示范、推广应用成效以及科研成果应用价值等作为评价科研工作的重要指标。鼓励科研教学单位设立推广教授、推广研究员等农技推广岗位，将开展农技推广服务绩效作为职称评聘、工资待遇的主要考核指标，支持科研教学人员深入基层一线开展农技推广服务。鼓励高等学校、科研院所紧紧围绕农业产业发展，同农技推广机构、新型农业经营主体等共建农业科技试验示范基地，试验、集成、熟化和推广先进适用技术。

支持引导经营性组织开展农技推广服务。落实资金扶持、税收减免、信贷优惠等政策措施，支持农民专业合作社、供销合作社、专业服务组织、专业技术协会、涉农企业等经营性服务组织开展农业产前、产中、产后全程服务。通过政府采购、定向委托、招投标等方式，支持经营性服务组织参与公益性农业技术推广服务。建立信用制度，加强经营性服务组织行为监管，推动农技推广服务活动标准化、规范化。

（三）种植与经营规模短板

在条件成熟地区适度恢复农业税，推进土地流转，保证农民转地不丢地，防止土地大面积抛荒。农业规模化的实质，是着力解决在社会主义初级阶段和社会主义市场经济条件下农业小生产和社会化大生产的矛盾；解决农村联产承包责任制与社会主义市场经济体制相衔接的问题；解决增加农产品有效供给与农业比较利益间的矛盾，解决农户分散经营与提高规模效益的矛盾。农业发展要运用工业化的思维，要走工业化的路子，首要的问题就是要把基地建设作为整个农业产业化的“第一生产车间”来建，解决农民一家一户生产与规模化的矛盾，从根本上实现和提升农业产业化，推动农村经济全面、协调、可持续发展。

一方面，在生产条件相对较好、适宜大规模生产的地区，集中生产要素，发展规模经营。通过培育发展种植养殖合作社、引进龙头企业等方式，实现资金、技术、土地和劳动力等生产要素聚集，以农户、合作社、龙头企业之间的股份合作实现利益深度联结，提高小农户组织化程度。另一方面，在生产条件相对较差、土地零碎的地区，开展多样化的农业社会化服务。相比规模经营主体，小农户拥有的农业生产服务设施和装备较少，对社会化服务的需求更为迫切，应通过鼓励发展农机合作社、农业技术合作社、农业生产服务企业等专业化市场化服务组织，推进农业生产全程社会化服务，开展土地托管，帮助小农户降本增效。

四、用好五个抓手

（一）以规模保食物安全

国家投资建设大规模现代化农场，在条件成熟时适度恢复农业税，推进土地有序流转，同时保证农民转地不丢地，保护农民权益。抓大放小，小农户自己搞饭吃，国家重点培养一批100～200亩的中型农户，培育一批大型、超大型国有农场并加强现代管理核算，作为粮食生产骨干，确保粮食生产能力；要以大规模粮食生产基地为核心，培育种养加研一条龙的国有超大型粮食集团，从根本上稳定中国的粮食产业，提升国际竞争力。

（二）以金融与保险保食物安全

完善农村金融业与保险业建设，政府单列“国家农业金库”，把目前分散到多个部门的农业金融与保险事项统一起来，完善内部管理机制，解决目前农业银行、农业保险“不姓农”、不支农的顽疾，以金融与保险保食物安全。

将支农金融资金重点向食物生产新型经营主体倾斜，优先保障生产粮食的家庭农场、农民专业合作社、农业企业关于基础设施建设、产品加工流通、产品营销方面的贷款需求。通过金融支持，为华中地区食物生产提供资金保障。

充分整合农业保险资金，农业保险优先扶持小农户粮食生产灾害损失和新型经营主体市场经营风险损失。通过农业保险减少小农户粮食和家庭经营收入损失，增强小农户食物自给能力。通过农业保险强化新型经营主体食物生产能力。

（三）以科技保食物安全

以国家投入为主体，建设覆盖全国的公益性农业科技推广体系，完善利益机制，鼓励科技下乡。目前，藏粮于技比藏粮于地更有可行性，实现以科技保食物安全。一是强化公共平台建设，加强原种基地、基因库等农业科研基础公共平台建设，推进国家重点实验室、工程技术中心向食物生产领域倾斜。二是完善农业实验室体系，建立以综合性重点实验室为龙头、农业科学观测试验站为延伸的一体化布局的华中地区现代农业实验室体系。三是打造企业创新平台，鼓励有条件的企业建设重点实验室、牵头或参与华中地区农业科技创新联盟建设，不断夯实企业技术创新条件基础。四是培育骨干科技创新人才队伍，设立国家层面的长期和稳定的专一研究中国粮食安全、食物安全的直接属于党中央、国务院领导的高层次的、短小精悍的研究机构。五是培育农业技术推广队伍，恢复原有的基层农业科技体系，国家财政进行补贴。通过定向培养、遴选学历水平和专业技能符合条件的人员进入农业技术推广队伍等。

（四）以农业的休养生息保食物安全

在农产品高库存和农业供给侧结构性改革背景下，可探索农作物休耕制度，通过土地休耕恢复地力，在土地休养生息的基础上提高土地生产潜力，从而保障华中地区食物安全。

例如，可考虑部分坡地和水源条件较差的旱地优先实现休耕。这部分地块主要用来种植玉米等旱地作物，因而在玉米供给过剩的背景下可考虑实现休耕。当然，适当的休耕需要以市场价格机制作为引导。

（五）以人才队伍建设保食物安全

改善农业教育，采用正式与非正式教育、学历与非学历教育相结合的方式，培养县级以下农业实用技术人才，培育新型职业农民，以人才队伍建设保食物安全。

培育农业农村实用人才，加快培育农业技术人才、生产人才、管理人才。要为农村用得上、留得住，农业大学可以面向农村生源低分数线定向招生，也可以开设农场主班和农村管理专业，实行定向招生培养。

五、谋求生产机械化与绿色化

（一）推动华中地区农业机械化进程

加大农业机械化实施力度，研制具有中国特色、符合南方地区耕作特点的一条龙配套农业机械，以农机实际使用量为标准落实机械化补贴。为配合推进农业机械化，以国家投入为主开展农业基础设施尤其是标准化良田建设，引入第三方监管提高资金透明度和使用效率，以农业机械化保食物安全。

在研发环节，应针对山区复杂的地形特征，研发具有田间可达性和田间操作便利性的耕整地、播种和收割机械。建设华中地区山地农业机械化重点实验室、科学观测站和科研基地。而且还需要针对水稻、小麦、玉米等主要粮食作物的特性，研发针对具体作物具体环节的小型农业机械，如专门针对山区水稻播种的机械和山区玉米收获的机械。在推广环节，对研发出来的适合山区特定作物特定环节的小型农业机械进行示范推广，可以在原有的农业技术推广的前提下，在各地因地制宜进行农业机械推广示范工程。

驱动水稻生产全程机械化进程。加大高性能、低成本水稻插秧机研发和推广力度，打好水稻生产全程机械化攻坚战，切实解放水稻生产劳动力，降低人工成本。

大力发展实施蔬菜、饲草料与畜禽水产养殖机械化，加快引进、消化、吸收园艺作物育苗、种植、采摘机械，稳步发展农用航空。研发、推广新型植保机械和秸秆收贮加工机械，大力发展高性能联合收获机械，加快老旧农机报废更新。

（二）推广畜禽粪便有机肥和稻虾共作，构筑循环农业，实现绿色生产

在南方水网密集地区畜禽限养政策大力推行、种植业化学肥料使用日渐增多以及水产养殖业饲料投入强度逐渐增大的背景下，因地制宜、合理布局，推行华中地区种养结合循环农业工程是实现集约化畜禽养殖粪便环境污染、种植业化学肥料减量化使用、粮食增产、水产养殖人工饲料减量化等多重目标的着力点。

有序推进华中地区集约化畜禽养殖向山区转移，移出区域主要为平原地区的生猪生产大县，移入区域包括秦巴山区、大别山区、幕阜山区、罗霄山区、武夷山区、武陵山区。因此，这一过程包括集约化畜禽养殖场转移工程和山区高标准畜禽粪便无害化、资源化利用工程、迁入区域运输公路建设三大子工程。转移工程首先需要各地政府合理规划，迁出区域做好迁出数量和迁出时间规划，迁入区域在迁入数量、迁入养殖场选址、土地供给等方面做好规划，迁出区域和迁入区域之间构建好联动协商机制。迁入区域还应相应做好饲料和畜禽产品运输公路建设工程，结合“新农村建设”和“村村通”工程，做好集约化畜禽养殖服务的山区运输公路建设规划、施工和维护工作。

种养结合循环农业工程的核心在于迁入区域集约化畜禽养殖粪便无害化和资源化利用子工程。该子工程又可细分为粪污处理设施建设、畜禽粪便有机肥生产核心工艺研发、畜禽粪便有机肥生产技术示范推广等工程。畜禽粪便中含有丰富的粗蛋白、粗脂肪、粗纤维、矿物质及钙、磷、钾、氮等营养成分，是生产价廉质优的有机肥的主要原料。有机肥是发展生态农业，提高农产品质量的重要肥料。在研发端，针对水稻、渔业和蔬菜的特性，将粪便有机肥分别转化为高效、方便运输、使用方便的稻田、水产养殖和蔬菜种植的有机肥作为重点研究项目，进行科技攻关。要积极推广塔式发酵、槽式发酵、袋装式发酵等粪便无害化生产有机肥料的关键技术，提高粪便制作绿色有机肥的效率；加强对利用干粪工厂化生产有机肥的工艺研究，积极鼓励有条件的地区开展粪便有机肥厂的建设。要大力宣传施用有机肥的好处，通过抓无公害、绿色和有机农产品生产，在果园、菜园、农田等建立有机肥使用示范基地，大力推广应用有机肥，培育和壮大有机肥市场。

以可持续发展为重要内容，促进农业生产和生态保护相协调。种养结合、生态环保的农业生产方式是实现绿色生态农业的重要途径。鼓励发展种养结合循环农业，倡导清洁生产和节约消费，严格控制外部有害物质的投入和农业废弃物的产生，最大限度地减轻环境污染和生态破坏，推动农业低碳可持续健康发展。统筹考虑华中不同区域不同类型的资源禀赋和生态特点，因地制宜，打造区域优势产业带，实现规模化生产。建立华中地区种养结合、生态环保农业生产体系对整合种植业、养殖业资源优势，取长补短，促进种养资源循环利用，发展绿色生态农业具有十分重要的意义。因此，华中地区可因地制宜打造“共生互惠模式”，即禽畜与作物共同生产的种养结合方式，实现农业“田

育禽畜、禽畜肥田”的互惠双赢，提高作物和家畜产量和品质。

另外，可发挥长江中下游平原地区的资源优势，推广“稻虾共作”绿色生态生产模式。虾稻共生可以相互促进，水稻为小龙虾提供了生产繁殖的空间，而小龙虾不仅可为水稻疏松土壤，其排泄物还是水稻的肥料来源之一。另外，小龙虾养殖对水质的要求较高，因而该模式可显著推动水稻生产减少农药、除草剂和化肥的使用，从而达到降低肥料和农药用量的目的，有助于实现水稻绿色生产。近年来，湖北江汉平原地区“稻虾共作”模式发展迅猛，该模式可以在长江中下游地区推广，实现水稻生产和水产养殖双赢。

参 考 文 献

陈敬雄, 岳建群. 2013. 养殖业抗生素使用现状及其对策. 中国畜牧兽医文摘, 29(5):15-16.

国家统计局农村社会经济调查司. 2020. 中国农村统计年鉴 2020. 北京: 中国统计出版社.

罗必良. 2017. 论服务规模经营——从纵向分工到横向分工及连片专业化. 中国农村经济, (11): 1-15.

王月容, 卢琦, 周金星, 周志翔. 2011. 洞庭湖退田还湖区不同土地利用方式下土壤重金属分布特征. 华中农业大学学报, 30(6): 734-739.

王云鹏, 马越. 2008. 养殖业抗生素的使用及其潜在危害. 中国抗生素杂志, 33(9): 519-523.

易凌霄, 曾清如. 2015. 洞庭湖区土壤重金属污染现状及防治对策. 土壤通报, 46(6): 1509-1513.

中华人民共和国环境保护部, 中华人民共和国国家统计局, 中华人民共和国农业部. 2010. 第一次全国污染源普查公报. http://g.mnr.gov.cn/201701/t20170123_1428261.html [2010-02-06].

钟甫宁. 2016. 正确认识粮食安全和农业劳动力成本问题. 农业经济问题, 37(1): 4-9.

附录一　将园艺产业嵌入我国农业发展新战略

——关于加快中西部园艺产业发展的若干建议

一、中西部地区园艺产业是我国少数具有国际竞争优势的农业产业

园艺作物包括果树、蔬菜、花卉、茶叶等，中西部地区包括华中、西南和西北三个地区，具体涵盖湖北、湖南、江西、安徽、江苏、重庆、四川、贵州、云南、西藏、陕西、甘肃、青海、宁夏和新疆等15个省（自治区、直辖市）。

（一）园艺产业是我国特别是中西部地区国民经济发展的重要支撑

我国是世界最大的园艺作物生产国。园艺产业对推动国内经济增长、带动农民致富、平衡农产品进出口贸易具有重要作用。根据《中国农村统计年鉴2016》，在全国种植业中园艺作物种植面积名列第二，产值名列第一。2015年，全国园艺产业产值达32 900亿元，占种植业总产值的57%；其中，蔬菜类产值达21 700亿元，水果及饮料类产值达11 200亿元。园艺产品平衡了我国1/5的农产品国际贸易逆差。

（二）园艺产业是中西部地区农业供给侧结构性改革的助推器

中西部地区是我国园艺产业发展的重点区域。根据《中国农村统计年鉴2016》相关数据，2015年中西部地区园艺产业产值约占全国的45%。其中水果类产值约占全国该项产值的46%，茶叶及饮料类产值占全国该项产值的54%。在水果类产业中，柑橘产值约占全国的64%，苹果产值约占全国的52%。中西部地区还是我国园艺产业发展的优势区域。中西部地区涵盖我国长江上中游、赣南-湘南-桂北、鄂西-湘西三大柑橘带，是甜橙的生态适宜区，所产甜橙在国内外市场均享有较高声誉。西北黄土高原区是我国苹果第一优势产区，所产红富士苹果质地细脆、致密，硬度和含糖量均超过全国平均水平。西部是我国最重要的夏秋蔬菜和食用菌基地，其中，以云南、贵州为主的云贵高原在保障珠江、长江流域夏秋蔬菜、食用菌供应中的作用日益突出。西南地区尤其是云南省，有着悠久的茶叶种植历史，是世界公认的茶树原产地和重要的优质茶叶生产基地。大力推动中西部地区园艺产业发展，对于构建粮经饲协调发展的三元种植结构，做大做强优势特色产业，优化农业区域布局，驱动农业产业结构调整，促进农业供给侧结构性改革都具有重要意义。

（三）园艺产业是中西部地区农民增收的重要渠道、政府实施精准扶贫的着力点

近年来，园艺产业为提供就业和促进农民增收做出了突出贡献。据估计，中西部地区园艺产业吸纳从事种植、加工、贮运、保鲜和销售等采后服务的劳动力约1亿人。同时，园艺产业逐渐成为中西部地区推进精准扶贫的着力点。在实践中，涌现出了许多鲜

活的“园艺扶贫”案例。例如，位于罗霄山区的江西省赣州市，把脐橙打入国内、国际两个市场，帮助30多万贫困人口摆脱贫困，并且还计划在“十三五”期间通过脐橙产业扶持3万个贫困户，减少贫困人口12万人以上。位于六盘山区的甘肃省平凉市静宁县，作为“中国果菜无公害十强县”，借助苹果产业帮助15.4万人稳定脱贫。茶叶产业则为位于武陵山区的贵州省遵义市凤冈县创造了46亿元的综合产值，帮助1.5万个农户脱贫。

二、中西部地区园艺产业存在的问题

（一）科技基础薄弱

与发达国家相比，我国园艺科研起步晚、整体水平差距大。与大田作物相比，我国园艺科技平台建设长期以来受到的重视不够，对产业的支撑乏力。例如，在科技部新启动的重大科技专项中，涉及园艺作物的项目很少，支持的强度与产业地位不相称。此外，在已建设的上百个国家重点实验室中，迄今尚无园艺方面的国家重点实验室。与东部地区相比，中西部地区园艺产业科技水平较为落后。种子是制约园艺产业核心竞争力的重要因素。一方面，园艺作物育种研究起步晚，加上财政支持时断时续以及育种周期长等原因，中西部地区果树自主选育的当家品种不多，其他园艺作物也存在类似问题。另一方面，中西部地区还未形成完整的园艺作物良种繁育体系。目前，苗木繁育以个体经营为主，规模化的正规苗木生产企业很少，出圃苗木质量参差不齐、品种纯度难以保证。种苗生产特别是无病毒苗木繁育能力与现实需求的矛盾很大。一些地区甚至从疫区把带有检疫性、危险性病虫害的种苗引入产区，带来巨大风险。这些均严重制约了中西部园艺产业的持续健康发展。

（二）基础设施较差

一是立地条件较差，以丘陵、山区为主，道路建设滞后，无法满足果品等机械采摘和搬运的需求；二是水利设施陈旧或缺乏，导致用水效率低下、水资源浪费、干旱季节无法保障用水；三是园艺生产机械普及率偏低，园艺作物管理、采摘和搬运仍然以人力为主，在农业劳动力外流和老龄化背景下，机械化发展滞后日渐成为制约中西部地区园艺产业发展的重要因素。

（三）加工和贮藏能力较弱

大部分园艺产品属于鲜活农产品，收获后必须迅速消费或保鲜加工处理，否则容易腐败变质。因此，产品加工对园艺产业发展起着重要的调节作用。然而，中西部地区园艺产品产后加工、贮藏等环节发展滞后，鲜果贮藏、保鲜能力不足，与发达国家差距巨大。以水果为例，根据长江果品产业研究院的估算，发达国家果品加工业产值是种植产值的3倍，而我国只有80%；发达国家的果品加工率达90%左右，而我国仅有20%～30%，中西部地区更低。

（四）病虫害近年来呈加剧态势

近年来，园艺产业病虫害风险呈加剧趋势。根据中国工程院重大咨询项目子课题“国际化绿色化背景下华中地区食物安全可持续发展战略研究”课题组 2016 年的调查，柑橘黄龙病近几年带来了巨大的经济损失，黄龙病疫情呈南重北轻、东重西轻的分布特征，并且有自南而北、由东向西蔓延的趋势。随着猕猴桃种植面积的增大和品种的增多，溃疡病已成为对中西部地区猕猴桃生产威胁最严重的病害。此外，香蕉枯萎病也呈蔓延之势。以高效栽培、绿色综合防控技术、质量溯源技术等为主的园艺作物质量安全体系建设有待加强。

三、加快推进中西部地区园艺产业发展的政策建议

（一）加强中西部地区国家级园艺良种繁育基地建设

其一，抓紧单独编制中西部地区园艺产业中长期发展规划，对产业发展目标、发展思路、重大政策、区域布局等内容进行顶层设计，统领相关优势产业的协调发展。按规划有步骤实施中西部地区园艺产业基础设施提档升级建设。其二，加大中央财政对中西部地区园艺作物良种繁育基地建设的支持力度，梳理已建的基地，填平补齐，建设一个比较完整的中西部园艺作物良种繁育体系。其三，将财政支持、科技支撑、企业资本等要素有机结合，形成运转高效的良种繁育机制，为中西部园艺产业发展提供坚实保障。其四，将中西部水果、茶业等园艺作物良种种苗纳入良种补贴范围，依法依规生产苗木，提升良种覆盖面，减少病虫害通过苗木的传播。

（二）在中西部地区建立园艺作物国家重点实验室等园艺科技平台

完善中西部地区园艺产业科技创新机制，有效整合科技资源，以园艺作物国家重点实验室、工程中心等为平台，聚焦园艺作物种质资源、遗传改良、品质、抗性和采后技术等关键科学问题和产业问题的研究，为产业发展提供平台支撑。加快中西部园艺作物良种选育、标准化栽培技术、重要病虫害防治、采后品质保持、精深加工技术等方面研究的国家科技立项进程，为中西部地区园艺产业发展提供强有力的科技支撑。

（三）构建适合中西部园艺产业特点的农技推广服务体系，加强新型经营人才队伍建设

政府通过财政支持、税收优惠等政策加大对园艺产业的扶持力度，激活中西部地区尤其是县以下基层政府扶持园艺产业的积极性。鼓励地方建立园艺作物农科教、产学研一体化的园艺农业技术推广体系。其一，各主产县盘活已有农技队伍，将中西部过去以粮为主的农技推广队伍结构进行优化转型，做到粮食与园艺产业并重；其二，制定吸引大学毕业生等较高层次人才到中西部从事园艺领域就业的优惠政策，设立专项资金和创业项目予以支持。

建议人：

邓秀新 院士（华中农业大学）
傅廷栋 院士（华中农业大学）
李天来 院士（沈阳农业大学）
向仲怀 院士（西南大学）
宋宝安 院士（贵州大学）
陈剑平 院士（浙江省农业科学院）
李崇光 教授（华中农业大学）
周应恒 教授（南京农业大学）
孙 剑 教授（华中农业大学）
孙东升 教授（中国农业科学院）
方智远 院士（中国农业科学院）
束怀瑞 院士（山东农业大学）
李 玉 院士（吉林农业大学）
朱有勇 院士（云南农业大学）
张新友 院士（河南省农业科学院）
青 平 教授（华中农业大学）
霍学喜 教授（西北农林科技大学）
何秀荣 教授（中国农业大学）
杜志雄 教授（中国社会科学院）

附录二　关于加强华中地区农田建设的若干建议

一、推进高标准农田建设对保护生态环境和保障粮食安全具有不可替代的作用

高标准基本农田建设，是指以建设高标准基本农田为目标，依据土地利用总体规划和高标准农田建设规划，在农村高标准农田建设重点区域及重大工程、基本农田保护区、基本农田整备区等开展的高标准农田建设活动，并通过农村高标准农田建设形成的集中连片、设施配套、高产稳产、生态良好、抗灾能力强，建设出与现代农业生产和经营方式相适应的基本农田。华中地区包括湖北、湖南、江西、安徽、江苏等5个省。

（一）耕地整治和高标准农田建设已经成为政策层面关注的焦点之一

农田是农业生产的重要物质基础。党中央、国务院高度重视农田基本建设。早在2013年，国家发展改革委发布了《全国高标准农田建设总体规划》，提出了到2020年全国建成集中连片、旱涝保收的高标准农田8亿亩，其中“十二五”期间建成4亿亩；建成的高标准农田耕地质量明显提高，亩均粮食综合生产能力提高100kg左右。2016年中央一号文件《中共中央 国务院关于落实发展新理念加快农业现代化 实现全面小康目标的若干意见》明确提出，“大规模推进高标准农田建设”，并要求“加大投入力度，整合建设资金，创新投融资机制，加快建设步伐，到2020年确保建成8亿亩、力争建成10亿亩集中连片、旱涝保收、稳产高产、生态友好的高标准农田。”“优化建设布局，优先在粮食主产区建设确保口粮安全的高标准农田。”2017年中央一号文件《中共中央 国务院关于深入推进农业供给侧结构性改革 加快培育农业农村发展新动能的若干意见》再次强调“全面落实永久基本农田特殊保护政策措施，实施耕地质量保护和提升行动，持续推进中低产田改造。加快高标准农田建设，提高建设质量。有条件的地区可以将晒场、烘干、机具库棚、有机肥积造等配套设施纳入高标准农田建设范围。引导金融机构对高标准农田建设提供信贷支持。”同时，中央财政加大了高标准农田建设的资金支持力度。2015年中央财政安排农业综合开发资金235.65亿元用于高标准农田项目，可建设高标准农田2777.45万亩，亩均新增粮食生产能力100kg以上。2016年，中央财政资金支持力度增加到404亿元。“十二五”期间，我国已经建成高标准农田4.03亿亩，投入资金5900多亿元。

（二）实施高标准农田建设是保证粮食安全的根本途径

粮食生产在农业生产中占据龙头地位，而高标准农田建设在粮食生产中占据基础地位。今后我国增加粮食产量主要靠提高单产，对耕地质量的要求越来越高。我国中低产田约占2/3，农田灌排设施薄弱，配套设施不完备，建设资金渠道分散且投入不足，建

设高标准农田的任务十分艰巨。《全国农业现代化规划（2016—2020 年）》则将大规模推进高标准农田建设作为增强粮食等重要农产品安全保障能力的两大措施之一。近年来，华中地区粮食生产面临水旱灾害和水土资源约束进一步增强，旱涝灾害发生频率加大、水资源短缺、耕地资源减少以及土壤质量下降等问题，影响了农业生产。实施高标准农田建设、提高粮食生产能力是保证华中地区乃至全国粮食安全的根本途径。

（三）推进高标准农田建设是促进现代农业发展的着力点

据估计，2001～2015 年，全国实施了 6 亿亩高标准农田建设，平整了土地，降低了耕地细碎化程度，完善了农田水利等基础设施，建成了一大批旱涝保收、集中连片的高标准农田，受惠人口近 4 亿，经过整治的区域，粮食亩均增产 100kg，增加粮食综合生产能力 500 多亿公斤[①]，农民年均增加收入 700 多元，促进了农业增产增收。高标准农田建设促进了耕地承包经营权的流转，为新型农业经营主体规模化经营创造了条件，土地流转后农民变为农民工人，实现了在家门口就业。

二、华中地区农田建设存在的问题

（一）高标准农田建设缺乏强有力的管理，资金使用不透明

高标准农田追求科学有效的管理，通过管理制度来对农田的建设工作进行强有力的监督和管理。然而，目前很多地区在管理的过程中没有制定相应的奖励制度和考核制度，农田管理人员的积极性被削弱，农田建设质量和效率都受到直接的影响。另外，根据中国工程院“华中地区食物安全可持续发展战略研究”课题组 2016 年农户调查数据，80.36%的被调查农户普遍反映良田建设资金存在挪用的问题，资金被层层盘剥，真正用到良田建设上的并不多；44.72%的农户表示没有得到过良田建设的补贴，27.9%的农户认为良田建设的资金被村干部挪用、贪污了。

（二）先进的农田技术推广和应用较为滞后

先进、科学的农田建设技术的推广和应用是建设高标准农田的技术基础。然而，目前华中地区很多地方政府对于先进的农田技术宣传不够，使得农民没有掌握建设农田的技巧，技术人员只是简单讲解先进技术的理论知识，并没有与当地的实际情况结合在一起，降低了技术的实用性。根据课题组的调查，40.15%的农户表示缺乏专家指导是导致良田建设没有发挥效用的重要原因。再加上大部分农民的文化程度不是特别高，理解复杂的技术比较困难。根据调查，76.96%的农民表示不知道该怎么进行良田建设。

（三）农民对粮田建设政策不了解，其权益容易受到忽视

农民参与良田建设的意愿比较高，然而现实中由于信息获取的渠道有限，农民对良田建设政策并不了解。根据调查，72.38%的被调查者表示自己对国家的良田建设政策不了解，对村里良田建设的做法不清楚。另外，在一些耕地治理项目具体实施过程中，组

① 1 公斤=1kg，后同。

织实施者还存在不尊重农民意愿的情况，有些地方政府与基层组织甚至采取收买、施压等方式迫使农民同意，以及以停发奖金、解聘等方式要求党员干部动员亲属搬迁的情况，严重损害了农民利益。

（四）高标准农田建设的生态效益还远未得到发挥

目前对农村耕地建设工作主要是针对耕地整理、耕地复垦、土地开发，在这一过程中，一些地区忽视原始自然环境进行高标准农田建设，反而破坏了生态环境和生态系统循环功能，造成土壤盐碱化、土壤质量退化等生态问题，生物多样性也遭到损害，不利于当地的可持续发展。根据调查，38.78%的农民认为良田建设政策没有考虑当地的实际情况，整治后没有达到预期效果，反而造成土地抛荒，高坡地平整破坏耕作层等生态问题。

三、加快推进华中地区耕地建设的政策建议

（一）加强耕地建设的法制化建设，增强信息公开力度

对农村高标准农田建设项目从招投标、资金来源、资金使用、项目实施、项目验收等环节层层监督，将农村高标准农田建设工作透明化、程序化。农民是高标准农田建设工作中利益受影响最为直接的群体，这就需要切实保障农民事前的知情权、决策的参与权与事后的救济权，以真正体现出决策的透明度与公允度，增强监督力度。高标准农田建设在规划制定之初应进行公告，告知群众高标准农田建设计划，并召开规划制定的听证会，积极听取农民对于高标准农田建设的意见和建议。在实际决策过程中，还需要不断提升农民的参与度，为农民提供表达意见的渠道，并且还要明确相关规定。在制定决策时，必须对农民的意见进行全面考虑，以提高农民在决策中的影响力。在决策实际执行过程中，还需要赋予农民必要的监督权。

（二）强化良田建设资金监管力度

良田建设资金落到实处是一系列优惠政策真正实现预期目标的关键，必须加强良田建设各种来源资金的监管力度。依托第三方资金监管和审计体系，对各省良田建设资金执行情况进行年度考核，考核结果与下一年度中央财政用于高标准农田建设的资金安排挂钩，纳入各级地方政府耕地保护责任目标考核内容。加强资金使用管理，对耕地的开垦费、新增建设用地的土地有偿使用费，土地复垦费用等资金进行监管，专款专用、专人专管。

（三）发挥专家优势，加强对农民良田建设的技术支持

教育背景和专业知识欠缺使得农民不知道如何开展良田建设，迫切需要对农民进行专业技术指导。在良田建设的过程中，村干部可以搭建农民与专家联系的桥梁，请专家对农民进行良田建设方面的技术培训。国家可以考虑出台一些对应的政策，鼓励农业大学、农科院、农业研究所的专家们走进田间地头，教农民如何进行良田建设。

（四）良田建设要与保护生态环境协调一致，防止适得其反

发达国家（如日本）的高标准农田建设工作经验表明，在高标准农田建设过程中应

遵守生态环境基本规律，整治工作与生态环境治理工作同步，加强水土流失、土地盐碱化、土地荒漠化等问题的防治，提高森林覆盖率，保护生物多样性，促进当地经济、社会、生态的协调可持续发展。

（五）从田、土、水、路、林、电、技、管8个方面协调推进良田建设

农田田块是农产品生产的重要载体，土壤是农作物生长的物质基础，水利是农业的命脉和现代农业建设的首要条件，田间道路是农业生产机械化作业的基本前提，农田林网是防灾减灾的生态屏障，输配电设施是发展现代化农业的重要保障，科技进步是农业发展的根本出路，建后管护是确保建成的高标准农田长久发挥效能、效益的关键。具体而言，可采取以下8个方面的措施。一是整治田块，提高农田平整度，促进田块集中，优化农田结构布局；二是改良土壤，提升土壤有机质含量，促进土壤养分平衡，改善耕作层土壤理化性状；三是建设灌排设施，改善农田灌排和集蓄水条件，提高水资源利用效率，增强旱涝保收能力；四是整修田间道路，提高田间交通配套水平，提高农业机械作业覆盖率；五是完善农田防护林网，提高农田水土保持能力和防灾减灾能力，改善农田生态条件；六是配套农田输配电设施，提高用电质量和安全水平，增强农业生产电力保障能力；七是加强农业科技服务，健全农田监测网络，提高农业科技服务能力；八是强化后续管护，明确管护责任，完善管护机制，健全管护措施，落实管护资金，确保工程长久发挥效益。

建议人：
青　平，教授，农业经济管理（食物经济），华中农业大学
周　晶，讲师，农业经济管理（农业经济），华中农业大学
朱信凯，教授，农业经济管理（农业经济），中国人民大学

附录三　华中地区粮食安全调查问卷

调查地点：__________市__________县__________镇（乡）__________村

您好，这是一份关于“华中地区粮食安全”的调查问卷。问卷中问题的答案无对错之分。您填写的所有资料仅供学术研究使用，绝不外传，也不会公布您的个人信息。请您按照实际情况或者自己的真实想法进行填写。非常感谢您的合作与参与！

华中农业大学经济管理学院
2016年8月

第一部分：被调查农户基本情况

1. 您的姓名：____________　　手机号：____________
   年龄：____________　　性别：____________
2. 户主文化程度：
   ①小学及以下　②初中　③高中　④大专　⑤本科及以上
3. 家庭人口______人；
   劳动力（16～60岁）______人，其中主要从事农业的劳动力______人。
4. 2015年您家庭的总收入：
   ①3万元以下　②3万～5万元　③5万～8万元　④8万～10万元；
   ⑤10万～15万元　⑥15万～20万元　⑦20万元以上
5. 您的总体收入在当地属于什么水平？
   ①很低　②中等偏下　③中等水平　④中等偏上　⑤较高
6. 您家总耕地面积______亩；
   其中，从别人家流转来的耕地面积______亩；流转给别人家的耕地面积______亩。
7. 您家庭种粮规模为______亩，总产量为______公斤，收益为______元；
   其中，主粮种植规模为______亩，产量为______公斤，收益为______元。
8. 您对主粮种植收入满意吗？
   ①非常不满意　②比较不满意　③中立　④比较满意　⑤非常满意
9. 您家主粮种植化肥施用数量为______公斤/亩，有机肥数量为______公斤/亩；
   农药施用数量为______公斤/亩，无公害农药为______公斤/亩。
10. 您认为当前主粮种植的风险如何？
    ①风险非常小　②风险比较小　③风险一般　④风险比较大　⑤风险非常大
11. 未来2～3年主粮种植面积计划：

①扩大规模　②规模保持不变　③缩小规模　④放弃生产

第二部分：粮食生产基本情况

1. 目前在主粮生产经营过程中面临的主要困难有哪些？（请在选中项处打“√”）

困难	困难很小	困难较小	困难一般	困难较大	困难很大
农资采购					
种子种苗					
种植技术					
土地质量					
土地规模					
资金信贷					
劳动用工					
农技设备					
水利设施					
稻谷储存					
销售价格					
销售渠道					
自然灾害					

2. 您的主粮主要通过下列哪些途径销售？（请在选中项处打“√”）

销售途径	基本没有	比较少	一般	比较多	基本全是
政府收购					
合作社统一收购					
商贩上门收购					
企业订单收购					
卖给当地农贸市场					

第三部分：主粮种植及其质量安全风险意识

1. 主粮种植的风险主要来源于：（请在选中项处打“√”）

风险来源	风险很小	风险较小	风险一般	风险较大	风险很大
病虫害					
灌溉条件					
耕种技术					
价格波动					

市场供求变化					
运输流通					
省外粮食供应的影响					
旱涝等极端天气					
固定投资					
土地随时会收回					

2. 以下途径在降低主粮生产经营风险的有效性如何？（请在选中项处打“√”）

降低风险的途径	效果很小	效果较小	效果一般	效果较大	效果很大
参加农业保险					
通过学习提高技术和知识水平					
参加农业合作组织					
引进新品种					
尽力了解市场信息					
政府提供更好的政策保障					

3. 就以下关于农药施用的说法进行判断：（请在选中项处打“√”）

说法	非常不同意	比较不同意	中立	比较同意	非常同意
施用农药是保证主粮产量的必要手段					
施用农药会影响主粮质量安全					
如果发生虫害，我一定会施用农药					
使用正规农药就能保证主粮质量安全					

第四部分：扩大主粮种植规模的意愿

1. 就未来是否愿意扩大主粮种植规模及其原因做出回答（请在选中项处打“√”）

原因	非常不同意	比较不同意	中立	比较同意	非常同意
如果您准备扩大主粮种植规模，其原因是：					
规模大能降低成本					
预期粮价会上涨					
规模大更能得到政府支持					
其他产业就业机会减少					

降低经营风险					
其他原因：					
如果您准备缩小规模或放弃生产，其原因是：					
生产成本上升					
自然灾害带来的损失增加					
外出务工收入更高					
种粮比较收益低					
劳动力不足					
土地不适合种粮					
水利等基础设施差					
其他原因：					

2. 稳定、扩大主粮种植规模，您需要政府给予哪方面的支持？（请在选中项处打“ √ ”）

支持	非常不需要	比较不需要	一般	比较需要	非常需要
①机械购置补贴					
②农业信贷服务/贷款担保					
③提供市场信息					
④提供气象信息					
⑤协助流转土地					
⑥水利等基础设施建设					
⑦用水、用电等优惠					
⑧仓储					
⑨运输					
⑩价格保护					

请从以上选项中选择三个您认为最为重要的措施：＿＿＿＿＿＿＿＿＿＿

第五部分：知识与技术采纳意愿

1. 您认为下列这些部门或个人的农业技术培训有效吗？（请在选中项处打“ √ ”）

部门或个人	效果非常差	效果比较差	效果一般	效果比较好	效果非常好
政府农技部门					
农技协会					

亲戚朋友					
农民专业合作社					
农技企业					
科研院所					

2. 以下这些方面的技术对提高产量的重要性如何？（请在选中项处打“√”）

技术	非常不重要	比较不重要	一般	比较重要	非常重要
育种技术					
栽培技术					
播种技术					
田间耕作技术					
保肥技术					
病虫害防治技术					
灌溉技术					
收割技术					
烘干技术					
其他：					

感谢您的参与！

附录四　华中地区粮食生产重金属污染农户调查问卷

调查地点：__________市__________县__________镇（乡）__________村

您好，这是一份关于“华中地区粮食安全”的调查问卷。问卷中问题的答案无对错之分。您填写的所有资料仅供学术研究使用，绝不外传，也不会公布您的个人信息。请您按照实际情况或者自己的真实想法进行填写。非常感谢您的合作与参与！

华中农业大学经济管理学院

2017 年 2 月

第一部分：被调查农户基本情况

1. 被调查农户所在村地理位置：①工矿区　②污水灌溉区　③城郊　④其他
2. 户主姓名：__________　手机号：__________
   户主年龄：__________　户主性别：__________
3. 户主文化程度：
   ①小学及以下　②初中　③高中　④大专　⑤本科及以上
4. 您家庭人口_______人；
   劳动力（16～60 岁）_______人，其中主要从事农业的劳动力_______人。
5. 2015 年您家庭的总收入：
   ①3 万元以下　②3 万～5 万元　③5 万～8 万元　④8 万～10 万元
   ⑤10 万～15 万元　⑥15 万～20 万元　⑦20 万元以上
6. 您家总体收入在当地属于什么水平？
   ①很低　②中等偏下　③中等　④中等偏上　⑤较高
7. 您家总耕地面积_______亩；
   其中，从别人家流转来的耕地面积_______亩；流转给别人家的耕地面积_______亩。
8. 您对主粮种植收入满意吗？
   ①非常不满意　②比较不满意　③中立　④比较满意　⑤非常满意
9. 您未来 2～3 年水稻种植面积计划：
   ①扩大规模　②规模保持不变　③缩小规模　④放弃生产
10. 如果计划未来缩小水稻种植面积，原因是什么？（可多选）
    ①政府不让种　②重金属污染　③种田不赚钱　④劳动力不足
    ⑤生产成本上升　⑥水利基础设施差　⑦自然灾害损失增加　⑧其他

11. 如果计划未来扩大水稻种植面积，原因是什么？（可多选）
①种水稻收入高 ②政府重金属污染治理给予补贴
③规模大能降低成本 ④预期粮价会上涨 ⑤其他就业机会少
⑥规模大能得到政府支持 ⑦其他

第二部分：粮食生产基本情况

粮食作物	播种面积（亩）	总产量（公斤）	平均价格（元/公斤）	总产值（元）	总成本（元）
水稻					
早稻					
中稻					
晚稻					
玉米					
小麦					
其他					

第三部分：农户对重金属及其污染风险的认知

1. 是否听说过湖南镉大米事件？
①听说过 ②没有
2. 是否知道重金属的概念？
①知道 ②不清楚
3. 听说过或了解下列哪些重金属？
①镉 ②汞 ③铅 ④砷 ⑤其他（名称）_______ ⑥不清楚
4. 是否听说过或了解土地或耕地中重金属污染问题？
①听说过 ②没有
5. 您认为土地或耕地中重金属污染产生的原因是什么？（请在选中项处打“√”）

原因	非常赞成	比较赞成	中立	比较不赞成	非常不赞成
土壤中重金属本底值高					
有色金属矿开采					
酸雨和土壤酸化					
过量施用化肥					
污水灌溉					
其他					

6. 是否听说过本地区（乡镇范围内）耕地重金属含量超标？

①听说过　　②没有

如果听说过，本人是否相信？　①相信　　②不相信　　③不清楚

7. 自家耕地是否存在重金属含量超标？

①是　　②否　　③不清楚

如果回答“是”，存在重金属超标的耕地面积__________亩。

8. 是否听说过本地区（乡镇范围内）生产的稻米重金属镉超标？

①听说过　　②没有

如果听说过，本人是否相信？　①相信　　②不相信　　③不清楚

9. 自家耕地生产的稻米是否存在重金属含量超标？

①是　　②否　　③不清楚

10. 如果稻米存在重金属超标问题，长期食用是否对人体健康产生危害？

①是　　②否　　③不清楚

11. 是否食用自家产的稻米？

①完全食用自家产的稻米　　②完全从外地购买　　③自家产稻米和购买稻米皆有

12. 耕地是否存在土壤酸化的问题？

①是　　②否　　③不清楚

13. 如果耕地存在土壤酸化，酸化的原因是什么？（可多选）

①酸雨　　②长期施用化肥　　③农田长期不施石灰　　④其他

第四部分：农户水稻生产中应对重金属污染的措施

首先了解调查地区耕地和稻米中镉含量超标整体情况以及实施的具体控制措施，依据不同控制措施，填写本部分相应的问卷。具体包含以下四类区域［湖南耕地镉污染治理试点区域（即长株潭地区）包含前三类区域］。

第一类区域：稻米镉含量在0.2～0.4mg/kg的耕地为达标生产区，实施“VIP+*n*”技术，即推广低镉吸收水稻品种（V）、合理灌溉（I）、撒生石灰（P）以及其他措施（*n*）相结合；

第二类区域：稻米镉含量超过0.4mg/kg的耕地，土壤镉含量在1mg/kg及以下的为管控专产区，对污染稻谷进行安全管控；

第三类区域：土壤镉含量在1mg/kg以上的为替代种植区，实行包括休耕在内的农作物种植结构调整）；

第四类区域：采取其他措施或者未采取任何措施的区域。

（一）第一类区域（达标生产区）

1. 为了治理镉污染，近几年政府或村委是否已经要求改种新的水稻品种？

①是（具体名称：________________）　　②否

如果回答“是”，今年种植新品种水稻面积______亩；种植传统品种水稻面积________亩。

2. 相关部门是否要求从孕穗期一直到稻谷黄熟始终实行淹水灌溉管理？

①是　　②否　　③不清楚

3. 对相关部门规定的淹水灌溉管理，在实际生产过程中是否配合？
①完全配合　　②有时候配合，有时候不配合　　③完全不配合

4. 相关部门是否要求或组织人员对自家水稻田播撒生石灰？
①是　　②否　　③不清楚

5. 相关部门是否对水稻生产采取了其他措施？
①是（具体措施：＿＿＿＿＿＿＿＿＿＿＿＿）　　②否

6. 下列措施起到了降低生产稻米重金属含量的作用吗？（请在选中项处打“√”）

措施	非常赞成	比较赞成	中立	比较不赞成	非常不赞成
种植新品种水稻					
连续的淹水管理					
撒生石灰					
所有措施整体评价					

7. 目前防治重金属污染中遇到的困难：（请在选中项处打“√”）

困难	非常赞成	比较赞成	中立	比较不赞成	非常不赞成
技术难度大					
投入成本高					
劳动强度大					
田间管理复杂、烦琐					
政府投入不够					
治理措施效果不理想					
村干部不负责					
技术人员指导不力					
宣传不到位					

8. 您对防治重金属污染的建议和希望：（请在选中项处打“√”）

建议和希望	非常赞成	比较赞成	中立	比较不赞成	非常不赞成
提供补贴或加大补贴力度					
加强技术指导					
统一组织人员进行管理					
统一收购稻谷					
研发新技术					
调整种植结构					
关闭工矿企业					
使用清洁水源灌溉					
播撒生石灰					
减少化肥施用量					
其他（填写具体想法）					

（二）第二类区域（管控专产区）

1. 相关部门对本地区稻谷采取了什么样的措施？
①收购　②销毁　③其他（________）　④不清楚
2. 对相关部门规定的稻谷处置措施，在实际生产过程中是否配合？
①完全配合　②有时候配合，有时候不配合　③完全不配合
3. 由于上述措施的开展，自家种植收入产生了什么变化？
①减少________元　②增加________元　③变化不大　④不清楚
4. 您希望政府如何处置镉含量超标的稻谷？
①放任不管　②饲养牲畜　③作为工业原材料　④销毁　⑤其他（______）
5. 目前防治重金属污染中遇到的困难：（请在选中项处打“√”）

困难	非常赞成	比较赞成	中立	比较不赞成	非常不赞成
技术难度大					
投入成本高					
劳动强度大					
田间管理复杂、烦琐					
政府投入不够					
治理措施效果不理想					
村干部不负责					
技术人员指导不力					
宣传不到位					

6. 您对防治重金属污染的建议和希望：（请在选中项处打“√”）

建议和希望	非常赞成	比较赞成	中立	比较不赞成	非常不赞成
提供补贴或加大补贴力度					
加强技术指导					
统一组织人员进行管理					
统一收购稻谷					
研发新技术					
调整种植结构					
关闭工矿企业					
使用清洁水源灌溉					
播撒生石灰					
减少化肥施用量					
其他（填写具体想法）					

（三）第三类区域（替代种植区）

1. 如果相关部门减少水稻种植或者不种水稻，今年改种哪些作物？

①玉米_____亩　②高粱_____亩　③葡萄_____亩　④西瓜_____亩　⑤其他_____亩

2. 相关部门是否要求自家耕地进行休耕？

①是　②否　③不清楚

如果被要求休耕，休耕始于______年，止于_______年；每年给予补贴_______元/亩。

3. 由于上述措施的开展，自家种植收入产生了什么变化？

①减少________元　②增加________元　③变化不大　④不清楚

4. 在停止水稻种植后，您希望政府采取哪些措施保障收入？

①____________________________

②____________________________

③____________________________

5. 目前防治重金属污染中遇到的困难：（请在选中项处打“√”）

困难	非常赞成	比较赞成	中立	比较不赞成	非常不赞成
其他作物收成不好					
其他作物不适合本地					
劳动强度加大					
田间管理复杂、烦琐					
政府补贴不够					
治理措施效果不理想					
村干部不负责					
技术人员指导不力					
宣传不到位					

6. 您对防治重金属污染的建议和希望：（请在选中项处打“√”）

建议和希望	非常赞成	比较赞成	中立	比较不赞成	非常不赞成
提供补贴或加大补贴力度					
加强技术指导					
统一组织人员进行管理					
统一收购农产品					
研发新技术					
调整种植结构					
关闭工矿企业					
使用清洁水源灌溉					
播撒生石灰					
减少化肥施用量					
其他（填写具体想法）					

（四）第四类区域（其他地区）

1. 相关部门采取了什么措施治理耕地重金属污染问题？

①______________________________

②______________________________

③______________________________

2. 是否愿意配合相关部门采取的防治措施？

①愿意 ②不愿意 ③无所谓

3. 由于上述措施的开展，自家种植收入产生了什么变化？

①减少________元 ②增加________元 ③变化不大 ④不清楚

4. 目前防治重金属污染中遇到的困难：（请在选中项处打"√"）

困难	非常赞成	比较赞成	中立	比较不赞成	非常不赞成
技术难度大					
投入成本高					
劳动强度大					
田间管理复杂、烦琐					
政府投入不够					
治理措施效果不理想					
村干部不负责					
技术人员指导不力					
宣传不到位					

5. 您对防治重金属污染的建议和希望：（请在选中项处打"√"）

建议和希望	非常赞成	比较赞成	中立	比较不赞成	非常不赞成
提供补贴或加大补贴力度					
加强技术指导					
统一组织人员进行管理					
统一收购稻谷					
研发新技术					
调整种植结构					
关闭工矿企业					
使用清洁水源灌溉					
播撒生石灰					
减少化肥施用量					
其他（填写具体想法）					

调查员：__________ 手机号：__________ 调查日期：2017 年_____月_____日

附录五　华中地区粮食生产机械化农户调查问卷

调查地点：______省______市______县______镇（乡）______村

您好，这是一份关于“华中地区粮食安全”的调查问卷。问卷中问题的答案无对错之分。您填写的所有资料仅供学术研究使用，绝不外传，也不会公布您的个人信息。请您按照实际情况或者真实想法进行填写。非常感谢您的合作与参与！

华中农业大学经济管理学院
2019 年 1 月

本问卷适用区域：湖北、湖南、江西、江苏、安徽五省。

本问卷填写方法：选择性问题在对应答案处画“√”；除了特别说明外，选择性问题为单选题；非选择性问题需要在对应横线处填写数字或文字信息。

第一部分：被调查农户基本情况

1. 所在村地形条件：①平原　②丘陵　③山区　④盆地
2. 户主姓名：________　手机号：________　户主年龄：________
3. 户主性别：
   ①男　②女
4. 户主文化程度：
   ①小学及以下　②初中　③高中　④大专　⑤本科及以上
5. 您家庭人口________人
   劳动力（16～60 岁）________人，其中主要从事农业的劳动力________人。
6. 2017 年您家庭的总收入：
   ①3 万元以下　②3 万～5 万元　③5 万～8 万元　④8 万～10 万元；
   ⑤10 万～15 万元　⑥15 万～20 万元　⑦20 万元以上
7. 您家的总体收入在当地属于什么水平？
   ①很低　②中等偏下　③中等　④中等偏上　⑤较高
8. 您家总耕地面积________亩；
   其中，从别人家流转来的耕地面积_______亩；流转给别人家的耕地面积________亩。
9. 本村种植哪些粮食作物？（可多选）
   ①水稻　②小麦　③玉米　④薯类　⑤豆类
10. 本村种植面积最大的两种粮食作物？（可多选）
   ①水稻　②小麦　③玉米　④薯类　⑤豆类

11. 本村种植哪些经济作物？
____
12. 本村是否已通水泥路（柏油路）？
①是　②否
13. 本村到乡镇政府的距离？
①小于 5km　②5～10km　③10～15km
④15～20km　⑤大于 20km
14. 本村到最近车站码头的距离？
①小于 5km　②5～10km　③10～15km
④15～20km　⑤大于 20km
15. 2017 年自家粮食种植面积____亩（含租种他人耕地的面积，主要计算水稻、小麦和玉米）。
16. 您家按照农业生产经营面积属于下列哪一类？
①小农户（0～30 亩）　②中等规模户（30～50 亩）
③较大规模户（50～100 亩）　④大规模户（大于 100 亩）

第二部分：农户粮食生产机械化现状

1. 自家拥有下列哪些最近一年正在使用的农业机械？（可多选）
①拖拉机　②旋耕机　③播种机　④插秧机　⑤收割机
⑥其他（填写名称）____________　⑦无
2. 本村拥有下列哪些最近一年正在使用的农业机械？（可多选）
①拖拉机　②旋耕机　③播种机　④插秧机　⑤收割机
⑥其他（填写名称）____________　⑦无
3. 自家粮食耕整中____%的面积是由旋耕机耕整；
如果存在旋耕机耕整，采用下列哪种方式？
①自有旋耕机　②租用别家耕整机　③购买农机耕作服务
④自有机械和购买服务相结合
如果存在购买旋耕服务，旋耕面积______亩，服务价格______元/亩。
4. 本村粮食耕整中____%的面积是由旋耕机耕整；
如果存在旋耕机耕整，采用下列哪种方式？
①本村自有旋耕机　②购买外地农机耕作服务
③自有机械和购买服务相结合
如果存在购买外地旋耕服务，旋耕面积______亩，服务价格______元/亩。
5. 自家粮食播种中____%的面积是由播种机（插秧机）播种；
如果存在农机播种（插秧），采用下列哪种方式？
①自有农机　②租用别家农机　③购买农机播种服务
④自有机械和购买服务相结合
如果存在购买播种服务，服务面积______亩，服务价格______元/亩
6. 本村粮食播种中____%的面积是由播种机（插秧机）播种；

如果存在农机播种，采用下列哪种方式？

①本村自有农机播种　　②购买外地农机播种

③自有机械和购买服务相结合

如果存在购买外地农机播种服务，服务面积______亩，服务价格______元/亩。

7. 自家粮食收获中_____%的面积是由收割机收割；

如果存在农机收割，采用下列哪种方式？

①自有农机收割　　②租用别家收割机

③购买收割服务　　④自有机械和购买服务相结合

如果存在购买收割服务，服务面积_______亩，服务价格_______元/亩。

8. 本村粮食收获中____%的面积是由收割机收割；

如果存在农机收割，采用下列哪种方式？

①本村自有农机收割　　②购买外地收割服务

③自有机械和购买服务相结合

如果存在购买外地收割服务，服务面积________亩，服务价格_______元/亩。

9. 本村是否存在为其他农户提供机械作业服务的农机专业户？

①是　　②否

如果存在，有________户农机专业户。

如果存在，他们提供哪些农机作业服务？（可多选）

①机耕　②机播　③机收

如果存在，他们作业服务地区范围最远到达哪里？

①本村　②本乡镇　③本县　④本省　⑤外省

第三部分：农户粮食生产机械化存在的问题及其形成原因

1.（若本题答案为③④⑤，询问完则跳至问题 3）您是否认为本地粮食生产机耕率较低？

①非常赞成　②比较赞成　③中立　④比较不赞成　⑤非常不赞成

2. 您认为本地粮食生产机耕率低形成的原因有哪些？（请在选中项处打“√”）

分类	原因	非常赞成	比较赞成	中立	比较不赞成	非常不赞成
地表地形	地表崎岖，旋耕机无法抵达田间					
	地块狭小，旋耕机作业不便					
交通条件	交通不便，外地旋耕机无法抵达本村					
	无机耕道设施，旋耕机无法抵达田间					
农机特征	旋耕机价格高，买不起					
	旋耕机质量较差，甚至导致减产					
作业成本	作业成本高，外地旋耕机不愿过来					
作业技术	农机操作难度大，安全事故频发					
政策	国家对适合本地的旋耕机没有补贴					

维修服务	农机坏了难以维修，购机意愿低					
需求特征	耕地太少，外地旋耕机不愿过来					

3.（若本题答案为③④⑤，询问完则跳至问题 5）您是否认为本地粮食生产机播（机械插秧）率较低？

①非常赞成　②比较赞成　③中立　④比较不赞成　⑤非常不赞成

4. 您认为本地粮食生产机播（机械插秧）率低形成的原因有哪些？（请在选中项处打“√”）

分类	原因	非常赞成	比较赞成	中立	比较不赞成	非常不赞成
地表地形	地表崎岖，农机无法抵达田间					
	地块狭小，农机作业不便					
交通条件	交通不便，外地农机无法抵达本村					
	无机耕道设施，农机无法抵达田间					
农机特征	农机价格高，买不起					
	农机质量较差，甚至导致减产					
	市场上买不到适合本地的农机					
作业成本	作业成本高，外地农机不愿过来					
作业技术	农机操作难度大，安全事故频发					
政策	国家对适合本地的农机没有补贴					
维修服务	农机坏了难以维修，购机意愿低					
需求特征	耕地太少，外地农机不愿过来					
	秧苗（种子）不统一，无法开展机播					

5.（若本题答案为③④⑤，询问完则跳至问题 7）您是否认为本地粮食生产机收率较低？

①非常赞成　②比较赞成　③中立　④比较不赞成　⑤非常不赞成

6. 您认为本地粮食生产机收率低形成的原因有哪些？（请在选中项处打“ √ ”）

分类	原因	非常赞成	比较赞成	中立	比较不赞成	非常不赞成
地表地形	地表崎岖，农机无法抵达田间					
	地块狭小，农机作业不便					
交通条件	交通不便，外地农机无法抵达本村					
	无机耕道设施，农机无法抵达田间					
农机特征	农机价格高，买不起					
	农机质量较差，甚至导致减产					
	市场上买不到适合本地的收割机					
作业成本	作业成本高，外地农机不愿过来					
作业技术	农机操作难度大，安全事故频发					
政策	国家对适合本地的农机没有补贴					
维修服务	农机坏了难以维修，购机意愿低					
需求特征	耕地太少，外地农机不愿过来					

7. 您认为本地粮食机械化还存在哪些问题？（请在选中项处打“ √ ”）

存在的问题	非常赞成	比较赞成	中立	比较不赞成	非常不赞成
缺乏秸秆处理机械					
地块比较分散，农机作业成本高					
播种时间差异大，作物收割时间不集中					
品种太多，不同品种生育期差异大，作物管理和收割时间无序，不利于统一机械化服务					

如果还存在其他问题，则请在下方记录原始语言

____
____
____
____
____
____
____
____
____

8. 您对粮食生产机械的看法（包括本地机械和外地到本地作业的机械）（请在选中项处打“√”）

分类	看法	非常赞成	比较赞成	中立	比较不赞成	非常不赞成
机械本身	农机使用的钢材质量好					
	发动机质量好					
	造型美观					
	行走迅速					
	耗油量低					
操作过程	农机与地块特征匹配					
	农机大小与驾驶员个人特征匹配					
	驾驶操作舒适					
	遮阳挡雨效果好					
	转弯灵活					
作业负面性	伤田					
	田间作业深浅不一					
	作业有遗漏（如死角、掉穗）					
	安全事故率高					
作业质量	作业质量稳定					
	提高作物产量					
	节省种子					
	作业速度快					
	节省肥料					
	节省农药					

农机维修	机器故障频繁					
	故障维修及时					
	故障维修成本高					
	维修点距离远					
	维修服务不到位					
	缺少重要零配件					

第四部分：推进粮食生产机械化的措施

1. 为了推进本地粮食生产机械化，您对以下措施的看法：（请在选中项处打“√”）

分类	具体措施	非常赞成	比较赞成	中立	比较不赞成	非常不赞成
交通	改善通往外界的交通，提高农机区域可达性					
	修建田间道路和桥梁，提高农机田间可达性					
装备	国家加大适合本区域农机的研发力度					
	市场推出适合本区域且质量可靠的农机					
成本	降低适合本区域且质量可靠的农机价格					
技术	加大农机操作技术培训力度					
政策	国家对适合本区域农机具提供购置补贴					
	开展土地平整，减少土地细碎化程度					
维修	增加农机维修网点和设备，提高维修能力					
组织	土地集中流转，由企业或合作社开展规模化经营和机械化作业					
	鼓励区域内农户种植相同的作物和品种					

2. 您对适合本地的小型农业机械的购买意愿？
①非常强烈　②比较强烈　③一般　④较弱　⑤非常弱
3. 您对适合本地的小型农业机械的支付意愿？
①0.2 万元以下　②0.2 万～0.5 万元　③0.5 万～1 万元　④1 万～2 万元
⑤2 万元以上
4. 如果为了推动机械作业，在本村开展土地平整，您配合吗？
①完全配合　②有时候配合，有时候不配合　③完全不配合
5. 如果为了推动机械作业，在本村开展土地平整，您认为由谁来出资？
①国家　②村集体　③村民　④农业企业　⑤合作社
6. 如果土地平整需要您出资，您愿意出资多少？
①0 元　②0.1 万元　③0.1 万～0.2 万元　④0.2 万～0.5 万元　⑤0.5 万元以上

7. 如果为了推动机械作业，在本村修建机耕道，您愿意配合吗？
   ①完全配合　　②看情况再配合　　③完全不配合
8. 如果为了推动机械作业，在本村修建机耕道，您认为由谁来出资？
   ①国家　　②村集体　　③村民　　④农业企业　　⑤合作社
9. 如果修建机耕道需要您出资，您愿意出资多少？
   ①0 元　②0.1 万元　③0.1 万～0.2 万元　④0.2 万～0.5 万元　⑤0.5 万元以上
10. 您认为推进本地粮食生产机械化还需要采取哪些措施（比如最需要引进哪些种类的农机等）？（请记录原始语言）

____
____
____
____
____
____
____
____
____
____
____
____
____
____
____

调查员：__________　　手机号：__________　　调查日期：2019 年______月______日

附录六　水稻的生产经营调查问卷

调查地点：______省______市______县（区）______镇（乡）______村

您好，这是一份关于“种植业发展战略”的调查问卷。问卷中问题的答案无对错之分。您填写的所有资料仅供学术研究使用，绝不外传，也不会公布您的个人信息。请您按照实际情况或者自己的真实想法进行填写。非常感谢您的合作与参与！

华中农业大学经济管理学院

2019年1月

第一部分：被调查农户及家庭基本情况

您的姓名：________________　　　　您的电话：_______________

（一）基础设施

请选择本村地形（在横线处画“√”）：山地_____　丘陵______　平原______

调查项目	您的答案	备注（请记录农民评价的原话）
离住处距离最近的公路（通客车）		
县城或市区离住处距离（单位：km）		
最近快递点离住处距离（单位：km）		
最近集市或市场离住处距离（单位：km）		
是否有有线网络（1=是；2=否）		
是否有水利灌溉设施（水渠等）（1=是；2=否）		
是否有乡镇农业技术推广指导（1=是；2=否）		

（二）被调查者家庭基本情况及家庭经营收支情况

家庭受访者及户主信息	性别 1=男 2=女	年龄（岁）	健康程度 1=很差 2=较差 3=一般 4=较好 5=很好	受教育年限（年）	务农年限（年）	是否兼业 1=是 2=否	兼业地点 1=镇内 2=县内 3=市内 4=省内 5=省外	兼业时间（月）	兼业收入（万元）	家中是否有党员或干部 1=是 2=否
受访者										
户主										

注：若受访者为户主，只填一行

1. 家庭总人口_____人，其中，劳动力（16～60 岁）____人，从事农业的劳动力_____人，兼业_____人。
2. 家庭经济是否共享（在横线处画“√”）：是____　否____；
   农业生产决策是户主决定____　家庭讨论决定____。
3. 2018 年您家庭的总收入_________，其中农业收入_______。
   1=3 万元以下　2=3 万～6 万元　3=6 万～9 万元　4=9 万～12 万元；
   5=12 万～15 万元　6=15 万～18 万元　7=18 万元以上
4. 您家的总体收入在当地属于什么水平？_______
   1=低　2=中等偏下　3=中等水平　4=中等偏上　5=高
5. 2018 年家庭经营承包地面积____块____亩，最大地块为____亩，最小地块为____亩，其中水稻种植_____块_____亩。
6. 有无土地流转（在横线处画“√”）：有____　无____
   流转入____亩，已流转入____年，价格为____元/（亩·年）；
   流转出____亩，已流转出____年，价格为____元/（亩·年）；
   有无签订流转合同（在横线处画“√”）：有____　无____。
7. 您实际耕种土地整体肥力（在横线处画“√”）：较差_____　一般_____　较好_____。
8. 目前您家庭生产的组织形式是_______
   1=个体生产　2=家庭农场　3=农民专业合作社（成员）　4=种植大户
   5=公司+农户　6=科技示范户　7=其他______
9. 家里距离耕地的平均距离约为_____米，距离最大地块距离_____米。

第二部分：生产经营基本情况

1. 水稻种植收益情况：

水稻品种	种植规模（亩）	产量（斤/亩）	销售价格（元/斤）	销售量（斤）	销售收入（元）
____稻					
____稻					
____稻					

注：水稻品种有早稻、中稻、晚稻和再生稻等

2. 成本情况：

	总用量	每亩用量	费用（元/亩）
种子			
化肥			
有机肥			
化学农药			
生物农药			
雇工			
机械投入			

注：总用量和每亩用量的单位有所差异：种子为 kg，肥料为 kg，农药为 ml，雇工为工，若非此处注明的单位，请进行换算或标注

3. 您种植水稻的主要目的是______；若部分自留，占总产量的比例为_____%。
   1=满足自家需求　　2=出售获得收入　　3=两者兼而有之
4. 近三年当地水稻销售价格有变化吗？______
   1=价格下降了　　2=基本不变　　3=价格上涨了
5. 您对当地水稻销售价格满意吗？______
   1=非常不满意　　2=比较不满意　　3=中立　　4=比较满意　　5=非常满意
6. 您认为接下来三年当地农产品（稻米）是否会更容易出售？________
   1=非常难　　2=比较难　　3=一般　　4=比较容易　　5=非常容易
7. 您认为接下来三年当地农产品（稻米）销售价格是否会上涨？________
   1=非常不可能　　2=比较不可能　　3=一般　　4=比较可能　　5=非常可能
8. 您家的水稻主要通过下列哪些途径销售：（请在选中项处打“√”）

销售途径	基本没有	比较少	一般	比较多	基本全是
①政府收购					
②合作社统一收购					
③商贩上门收购					

④企业订单收购					
⑤卖给当地农贸市场					
⑥网络销售（电商）					

9. 您是否愿意将水稻（制品）在网上进行销售？________

1=是　　2=否

10. 当地是否进行农村电商建设？________

1=是　　2=否

11. 您认为网络销售是否将成为未来销售渠道的主流？________

1=是　　2=否

12. 您一般是通过什么途径了解市场行情？_______

1=邻居　　2=村干部　　3=广播　　4=电视　　5=互联网　　6=农资店

7=农技人员　　8=收购商　　9=合作组织　　10=其他_______

13. 您是否能及时、有效地获取市场信息？_______

1=是　　2=否

14. 您家目前在水稻生产经营过程中面临的主要困难有哪些？（请在选中项处打“√”）

主要困难	困难很小	困难较小	困难一般	困难较大	困难很大
①农资采购					
②种子种苗					
③种植技术					
④土地质量					
⑤土地规模					
⑥资金信贷					
⑦劳动用工					
⑧农技设备					
⑨水利设施					
⑩仓库储存					
⑪销售价格					
⑫销售渠道					
⑬自然灾害					
⑭身体素质					
⑮文化水平					
⑯个人能力					

15. 您遇到困难时，一般向谁求助？________
   1=亲戚　　2=朋友　　3=村干部　　4=农技人员　　5=邻居　　6=自己解决
   7=其他__________
16. 在向他人求助后，是否都能有效解决您的困难？________
   1=是　　　2=否
17. 您生产的水稻销售难易程度______
   1=非常难　　2=比较难　　3=一般　　4=比较容易　　5=非常容易
18. 周边是否有小型作坊？______
   是否有大型加工厂（稻米加工企业）？________
   1=是　　　2=否
19. 您认为您所在区域生产水稻的优劣势______
   1=非常劣势　　2=比较劣势　　3=一般　　4=比较优势　　5=非常优势
20. 当地依托水稻产业开展的休闲农业类型有哪些？________
   1=没有开展　　2=虾/蛙稻共作　　3=观光休闲农业　　4=产品文化节
   5=其他_____
21. 您认为举办特色农产品文化节对您增收是否有帮助？________
   1=非常小　　2=较小　　3=一般　　4=较大　　5=非常大

第三部分：种植风险认知

1. 您认为水稻种植风险的主要来源是哪些？（请在选中项处打“√”）

主要来源	风险很小	风险较小	风险一般	风险较大	风险很大
①病虫害					
②灌溉条件					
③耕种技术					
④价格波动					
⑤市场供求变化					
⑥运输流通					
⑦省外水稻供应的影响					
⑧旱涝等极端天气					
⑨固定投资					
⑩土地随时会收回					

2. 您认为以下途径在降低水稻生产经营风险的有效性如何？（请在选中项处打“√”）

降低风险的途径	效果很小	效果较小	效果一般	效果较大	效果很大
①参加农业保险					
②通过学习提高技术和知识					

水平					
③参加农业合作组织					
④引进新品种					
⑤尽力了解市场信息					
⑥政府提供更好的政策保障					

3. 您认为当前农产品质量安全问题严重吗？_______

1=非常不严重　2=较不严重　3=一般　4=较严重　5=非常严重

4. 您是否关注农产品的质量安全问题？_______

1=非常不关注　2=较不关注　3=一般　4=较为关注　5=非常关注；

5. 请您就以下关于农药/化肥施用的说法进行判断：（请在选中项处打“√”）

说法	非常不同意	比较不同意	中立	比较同意	非常同意
①施用农药是保证水稻产量的必要手段					
②施用农药会影响水稻质量安全					
③如果发生虫害，我一定会施用农药					
④使用正规农药就能保证水稻质量安全					
⑤化肥施用越多，产量也就越高					
⑥施用化肥会影响水稻质量安全					

6. 您认为当地市场上出售的农产品质量安全吗？_______

1=非常不安全　2=较不安全　3=一般　4=较安全　5=非常安全

7. 您认为市场上出售的农产品是否都通过了政府部门的质量检测？_______

1=是　2=否　3=不清楚

8. 您觉得政府对市场上出售的农产品质量监管力度如何？_______

1=非常小　2=比较小　3=一般　4=比较大　5=非常大

9. 当地是否有特色的水稻及其制品品牌（区域品牌）？_______

1=有　2=没有　3=不清楚

10. 您是否听说过绿色产品（有机产品）？_______

1=听说过　2=没听说过

如果听说过，您认为这种绿色产品（有机产品）卖出较高价格的可能性？_______

1=非常小　2=比较小　3=一般　4=比较大　5=非常大

11. 您是否愿意在今后生产绿色农产品（有机农产品）？_______

1=非常不愿意　2=比较不愿意　3=一般　4=比较愿意　5=非常愿意

12. 在农产品出售时，您是否对生产的农产品进行产品质量分级？_______

1=是，自己主动____，采购方要求____　2=否

13. 您认为当地环境（空气、水、土壤）会对您种植的水稻质量安全产生影响吗？_______

1=会　　2=不会　　3=不清楚

14. 您觉得目前水稻存在质量安全问题吗？________

1=存在　　2=不存在

若存在，可能造成的原因是（可多选）________

1=化肥农药施用不当　　2=土壤、水等污染　　3=采摘、修剪等环节不当

4=收获储存或运输不当　　5=其他________

15. 您认为建立农产品生产档案体系对产品质量是否有影响？________

1=没有影响　　2=影响较小　　3=一般　　4=影响较大　　5=影响很大

16. 您认为建立农产品追溯体系对产品质量是否有影响？________

1=没有影响　　2=影响较小　　3=一般　　4=影响较大　　5=影响很大

17. 您认为加大对产品质量检测和质量监管对提高产品质量是否有影响？________

1=没有影响　　2=影响较小　　3=一般　　4=影响较大　　5=影响很大

第四部分：水稻种植规模的调整

1. 您过去 3 年水稻的种植面积规模情况________

1=扩大了规模　　2=规模基本没变　　3=缩小了规模

2. 您未来 2～3 年水稻种植面积计划________

1=扩大规模　　2=保持不变　　3=缩小规模　　4=放弃生产

3. 请您就未来是否愿意扩大水稻种植规模及其原因做出回答（请在选中项处打“√”）

原因	非常不同意	比较不同意	中立	比较同意	非常同意
如果您准备扩大水稻种植规模，其原因是：					
①规模大能降低成本					
②预期稻谷价格会上涨					
③规模大更能得到政府支持					
④其他产业就业机会减少					
⑤降低经营风险					
⑥其他：					
如果您准备缩小规模或放弃生产，其原因是：					
①生产成本上升					
②自然灾害带来的损失增加					
③外出务工收入更高					
④种植水稻比较收益低					
⑤劳动力不足					
⑥土地不适合种粮					

⑦水利等基础设施差					
⑧其他：					

4. 若缩小规模或放弃生产，您的土地将如何处置？______
   1=转租　2=改种其他作物　3=撂荒　4=不清楚　5=其他_____
5. 从家庭来看，家庭内部进行农业生产的人数将______
   1=减少　2=不变　3=增加
6. 为了稳定、扩大水稻种植规模，您需要政府给予哪方面的支持？（请在选中项处打“√”）

支持	非常不需要	比较不需要	一般	比较需要	非常需要
①技术知识培训					
②农业信贷服务/贷款担保					
③提供市场信息					
④提供气象信息					
⑤协助流转土地					
⑥水利等基础设施建设					
⑦农田标准化建设					
⑧加强土地用途管制					
⑨用水、用电等优惠					
⑩仓储					
⑪运输					
⑫价格保护					
请从以上选项中选择三个您认为最为重要的措施：					

7. 您认为专业化生产是未来我国农业发展趋势吗？_____
   1=非常不同意　2=比较不同意　3=一般　4=比较同意　5=非常同意
8. 您认为实行农业生产区域划分（如粮食生产功能区）对我国农业发展是否重要？____
   1=非常不重要　2=比较不重要　3=一般　4=比较重要　5=非常重要
9. 您是否认同构建科学合理专业化的生产格局优化我国农业生产结构？
   1=非常不同意　2=比较不同意　3=一般　4=比较同意　5=非常同意
10. 您觉得当前我国农业生产结构布局是否合理？_______
    1=合理　2=不合理
11. 您所在地是否有与农业相关的加工业和农业服务业、旅游业等相关产业？______
    1=有　2=没有
    如果没有，你觉得是否需要？_______
    1=不需要　2=一般　3=很需要
12. 您是否认同发展与农业相关的加工业和农业服务业、旅游业等相关产业有助于促进农业产业结构优化？

1=完全不同意　2=比较不同意　3=一般　4=比较同意　5=完全同意

13. 您家目前种植方式属于哪种？________

您更愿意采用哪种方式？________

1=单一作物种植　2=多种经营

14. 您是否认同调整农业种植结构有助于提高农户收入、保证我国粮食安全？________

1=完全不同意　2=比较不同意　3=一般　4=比较同意　5=完全同意

第五部分：技术需求与采纳意愿

1. 您认为学习掌握一项新技术容易吗？______

1=很难　2=较难　3=一般　4=较容易　5=很容易

2. 您认为采用新技术的风险大吗？______

1=很小　2=较小　3=一般　4=较大　5=很大

3. 近3年，您是否参加过农业技术培训？______

1=是　2=否

如选择“是”，请进一步回答：

（1）每年平均参加_____次；

（2）该技术的使用效果______；

1=非常差　2=比较差　3=一般　4=比较好　5=非常好

（3）您对推广方式及推广服务满意程度______。

1=非常不满意　2=比较不满意　3=一般　4=比较满意　5=非常满意

4. 未来您是否愿意接受农业技术推广/培训服务？______

1=愿意　2=不愿意

5. 您认为下列这些部门或个人的农业技术培训有效吗？

部门或个人	效果 非常差	效果 比较差	效果 一般	效果 比较好	效果 非常好
①政府农技部门					
②农技协会					
③亲戚朋友					
④农民专业合作社					
⑤农技企业					
⑥科研院所					

6. 对于以下农技推广服务方式，您最愿意接受的三项是________

1=田间现场示范　2=入户指导　3=授课培训　4=广播电视讲座　5=电话指导

6=发放技术资料　7=观摩学习

7. 对于以下这些方面的技术采用意愿：

技术	是否知道 1=是，2=否	是否采用 1=是，2=否	是否愿意采用 1=是，2=否	重要性：1～5 （1表示非常不重要，5表示非常重要）
①育种技术				
②栽培技术				
③播种技术				
④田间耕作技术				
⑤保肥技术				
⑥病虫害防治技术				
⑦灌溉技术				
⑧收割技术				
⑨烘干技术				
⑩其他：				

8. 您目前生产过程中需要下列哪些社会化服务？________

1=农业市场信息服务　　2=农资供应服务　　3=农业绿色生产技术服务
4=农业废弃物资源化利用服务　　5=农机作业及维修服务　　6=农产品初加工服务
7=农产品营销服务

9. 请您对以下农业生产高新技术发表看法：

农业生产高新技术	是否知道		您认为该技术对未来农业生产的重要性				
	是	否	非常不重要	不太重要	一般	比较重要	非常重要
①无人机技术							
②人工智能技术							
③遥感技术							
④大数据							
⑤基因工程技术							
⑥物联网技术							

10. 对于以下保护性耕作技术的采用意愿：

保护性耕作技术	是否正在采纳		以后是否愿意采纳		若政府进行补贴，补贴标准
	是	否	是	否	
①少耕、免耕技术					
②适度深松技术					
③间种技术					

④套种技术					
⑤轮作技术					
⑥休耕技术					

注：补贴标准选项：1=0 元，2=1～20 元，3=21～40 元，4=41～60 元，5=61～80 元，6=81～100 元，7=101～120 元，8=121～140 元，9=其他_____

11. 若取消最低收购价，您是否愿意继续种植水稻？_______

1=非常不愿意　2=较不愿意　3=一般　4=较愿意　5=非常愿意

12. 您对农业预警机制了解程度：

农业预警机制	是否知道		您认为该技术对未来农业生产的重要性				
	是	否	非常不重要	不太重要	一般	比较重要	非常重要
①供求关系							
②自然灾害预警							
③病虫害预警							
④国内外政策变化							
⑤农业信息监测							

第六部分：生态环境与绿色生产

1. 您认为水稻生产过程中对环境污染造成的影响：

生产行为	非常不影响	比较不影响	一般	比较影响	非常影响
①化肥施用					
②农药施用					
③农膜使用					
④秸秆处置不当					
⑤农药包装袋等废弃物					

2. 您认为目前农业生产污染现象是否严重？

污染现象	非常不严重	比较不严重	一般	比较严重	非常严重
①地下水污染					
②水体富营养化					
③土壤板结					
④土壤重金属污染					
⑤大气污染					

3. 您觉得目前农村生态环境状况如何？_______

1=非常差　2=较差　3=一般　4=较好　5=非常好

4. 与其他村民相比，您家施用农药次数______
   1=相对较少　　2=差不多　　3=相对较多
5. 与其他村民相比，您家施用化肥的量______
   1=相对较少　　2=差不多　　3=相对较多
6. 您是否愿意通过科学施肥技术（配方肥、有机肥等）来减少化肥用量？______
   1=非常不愿意　　2=较不愿意　　3=一般　　4=较愿意　　5=非常愿意
7. 您是否愿意通过科学施药技术（生物农药）来减少化学农药用量？______
   1=非常不愿意　　2=较不愿意　　3=一般　　4=较愿意　　5=非常愿意
8. 您认为农业绿色生产重要吗？______
   1=非常不重要　　2=比较不重要　　3=一般　　4=比较重要　　5=非常重要
9. 若为实现农业绿色生产，您认为：绿色技术支持______；市场环境建设______；政策制度保障______；标准化生产______；农户认知水平提升______。
   1=非常不重要　　2=比较不重要　　3=一般　　4=比较重要　　5=非常重要
10. 您认为近 10 年气候变化是否明显？______
    1=明显　　2=较明显　　3=不明显
    若感觉有变化，您认为当地的气候变化主要表现在______（可多选）
    1=温度上升，气候变暖　　2=温度下降，气候变冷　　3=降雨增多，洪涝增多
    4=降雨减少，干旱增多　　5=极端气候现象时有发生
11. 您觉得气候变化对您水稻生产是否有影响？______
    1=有　　2=无
    若有，影响程度如何？______
    1=影响非常小　　2=影响较小　　3=一般　　4=影响较大　　5=影响很大
12. 过去 3 年，您家水稻种植是否遭受过灾害？______
    1=有　　2=无
    若有，造成的损失程度如何？______
    1=减产 10%以下　　2=减产 10%～20%　　3=减产 20%～30%
    4=减产 30%～40%　　5=减产 40%～50%　　6=减产 50%以上
13. 如果以下措施能更好地适应气候变化，您愿意采取哪些措施？______
    1=增加投入（农药化肥等）　2=种植新的品种　3=修建基础设施　4=采用新的技术
    5=改善农田周边环境　　6=购买农业保险　7=调整种植结构

感谢您的配合！

调查员：__________　手机号：____________　调查日期：2019 年______月______日